Über dieses Buch Im Herbst 1909 hielt sich Katherine Mansfield in einer Pension in Bad Wörishofen auf, um sich von den Nachwirkungen einer Fehlgeburt zu erholen. In dieser Zeit entstanden die satirischen Skizzen, die 1911 unter dem Titel ›In einer deutschen Pension‹ gesammelt veröffentlicht wurden.

Die bitteren, beißenden Erzählungen sind auch Ausdruck der tiefen Niedergeschlagenheit, die Katherine Mansfield empfand, nachdem sie das Kind, auf das sie sich sehnsüchtig gefreut hatte, verloren hatte. Eine Tagebucheintragung aus dieser Zeit lautete: »Ich muß streiten, um vergessen zu können: ich muß bekämpfen [sic], um mich selbst wieder achten zu können. Ich muß mich nützlich machen, um wieder an das Leben glauben zu können.«

Über die Autorin Katherine Mansfield, 1888 als Kathleen Beauchamps, Tochter eines englischen Bankiers, in Wellington, New Zealand, geboren. 1908 verließ sie endgültig die als provinziell empfundene überseeische Heimat und siedelte nach London um. Ein unstetes Leben begann, es war die Zeit des ›fin de siècle‹, dessen verführerisches Leben sie anzog: »O, ich will die Dinge auf die Spitze treiben!«, wie sie schon 1906 in ihr Tagebuch schrieb. Durch eine unglückliche Heirat fand dieses Leben ein Ende. Nach der Scheidung heiratete sie 1918 den Schriftsteller John Middleton Murry. Paris, London, Cornwall, die Provence waren Stationen eines unruhigen, ›unbürgerlichen‹ Daseins. Unheilbar an Tuberkulose erkrankt, suchte sie 1922 in Frankreich Hilfe, wo sie 1923 in der Nähe von Fontainebleau starb.

Die vollständige Ausgabe ihrer Erzählungen erscheint im Fischer Taschenbuch Verlag: ›Das Gartenfest‹ (Bd. 9269); ›Glück‹ (Bd. 9270); ›Das Taubennest‹ (Bd. 9271); ›Etwas Kindliches, aber sehr Natürliches‹ (Bd. 9272); ›Das Leben sollte sein wie ein stetiges, sichtbares Licht‹. Briefe, Tagebücher, Kritiken. Mit einer biographischen Skizze von Elisabeth Schnack. Herausgegeben von Christel Schütz (Bd. 5739).

Katherine Mansfield
In einer deutschen Pension

Erzählungen

Herausgegeben und übersetzt
von Elisabeth Schnack

Fischer
Taschenbuch
Verlag

Originaltitel: The Collected Stories of Katherine Mansfield
Verlag Constable, London 1945

16.–23. Tausend: September 1988

Ungekürzte Ausgabe
Veröffentlicht im Fischer Taschenbuch Verlag GmbH,
Frankfurt am Main, Februar 1983

Lizenzausgabe mit freundlicher Genehmigung der
Büchergilde Gutenberg, Frankfurt am Main

Die Originalausgabe erschien unter dem Titel
›The Collected Stories of Katherine Mansfield‹
im Verlag Constable, London 1945
Umschlaggestaltung: Buchholz/Hinsch/Hensinger
unter Verwendung des Gemäldes ›Le Moulin à café‹
von Pierre Bonnard
(Kunstmuseum Winterthur)

Druck und Bindung: Clausen & Bosse, Leck
Printed in Germany
ISBN 3-596-29273-5

Katherine Mansfield

Inhalt

Deutsche beim Fleisch

Die Brotsuppe wurde auf den Tisch gestellt. »Ah«, sagte der Herr Rat, beugte sich über den Tisch und spähte in die Terrine, »das ist's, was ich brauche! Mein Magen ist seit mehreren Tagen nicht in Ordnung gewesen. Brotsuppe, und genau die richtige Konsistenz! Ich bin selbst ein guter Koch . . .«, wandte er sich an mich.

»Wie interessant!« erwiderte ich und bemühte mich, das genau richtige Maß an Begeisterung in meine Stimme zu legen.

»Doch, ja. Wenn man nicht verheiratet ist, ist es notwendig. Was mich betrifft, hatte ich von den Frauen auch ohne Heirat alles, was ich haben wollte.« Er stopfte sich seine Serviette hinter den Kragen und blies während des Sprechens auf seine Suppe. »Um neun Uhr mache ich mir also ein englisches Frühstück – aber nicht zu üppig. Vier Scheiben Brot, zwei Scheiben rohen Schinken, einen Teller Suppe, zwei Tassen Tee – für Sie wäre das ein Nichts!«

Er verkündete es so entschieden als Tatsache, daß ich nicht den Mut hatte, ihm zu widersprechen.

Aller Augen hefteten sich plötzlich auf mich. Mir war, als wäre ich verantwortlich für das unsinnige Frühstück der ganzen Nation – ich, die ich morgens eine Tasse Kaffee trank, während ich mir die Bluse zuknöpfte.

»Ja, überhaupt nichts!« rief Herr Hoffmann aus Berlin. »Ach, als ich in England war – da hab' ich morgens was gegessen!« Er richtete Augen und Schnurrbartspitzen himmelwärts und wischte sich die Suppenspritzer von Rock und Weste.

»Essen die Engländer wirklich soviel?« fragte Fräulein Stiegelauer. »Suppe und frisches Brot und Schweinefleisch und Tee und Kaffee und Kompott und Honig und Eier und kalten Fisch und Nieren und warmen Fisch und Leber? Und alle Damen essen das auch, besonders die Damen?«

»Sicher! Ich habe es selbst festgestellt, als ich in einem Hotel am Leicester Square gewohnt habe!« rief der Herr Rat. »Es war ein gutes Hotel, aber Tee konnten sie nicht machen, o nein!«

»Oh, das ist etwas, was *ich* kann!« sagte ich und lachte stolz. »Ich kann sehr guten Tee machen. Das große Geheimnis ist einfach, die Teekanne anzuwärmen.«
»Die Teekanne anwärmen?« unterbrach mich der Herr Rat und schob seinen Suppenteller weg. »Wofür wärmen Sie denn die Teekanne? Haha! Das ist ausgezeichnet! Man will doch nicht die Teekanne essen, nehme ich an?«
Er heftete seine kalten blauen Augen mit einem Ausdruck auf mich, der an tausend geplante Invasionen denken ließ. »Das ist also das große Geheimnis des englischen Tees? Sie machen weiter nichts, als die Teekanne anzuwärmen?«
Ich wollte erwidern, daß es nur die Eröffnungsnummer sei, konnte es aber nicht übersetzen und schwieg daher.
Das Dienstmädchen brachte Kalbfleisch mit Sauerkraut und Kartoffeln.
»Sauerkraut esse ich besonders gern«, sagte der Handelsreisende aus Norddeutschland, »doch jetzt hatte ich so viel davon, daß ich es nicht bei mir behalten kann. Ich sehe mich sofort genötigt, es ...«
»Herrliches Wetter!« rief ich rasch und wandte mich an Fräulein Stiegelauer. »Sind Sie zeitig aufgestanden?«
»Um fünf Uhr bin ich zehn Minuten durchs nasse Gras gelaufen. Wieder ins Bett. Um halb sechs schlief ich ein und wachte um sieben auf, um meine Morgengymnastik zu machen. Wieder ins Bett. Um acht bekam ich einen kalten Wikkel, und um halb neun trank ich eine Tasse Pfefferminztee. Um zehn bekam ich etwas Malzkaffee und begann meine Kur. Könnten Sie mir bitte das Sauerkraut reichen? Nehmen Sie nichts davon?«
»Nein, danke, ich finde es etwas zu kräftig.«
»Stimmt es«, fragte die Witwe und stocherte, während sie sprach, mit einer Haarnadel in den Zähnen, »daß Sie Vegetarierin sind?«
»Ja – ich habe seit drei Jahren kein Fleisch mehr gegessen.«
»Unmöglich! Haben Sie Kinder?«
»Nein.«
»Da haben wir's! Dahin kommt es nämlich mit Ihnen. Es ist unmöglich, Kinder zu bekommen, wenn man nur Gemüse

ißt. Aber Sie haben ja jetzt ohnehin keinen Kinderreichtum in England – vermutlich haben Sie zuviel mit Ihrem Frauenstimmrecht zu tun. Ich dagegen habe neun Kinder bekommen, und sie sind alle am Leben, Gott sei Dank. Prächtige, gesunde Babies, obwohl ich nach der Geburt meines ersten ...«

»Wie wundervoll!« rief ich.

»Wundervoll?« entgegnete die Witwe verächtlich und befestigte die Haarnadel wieder im Dutt, der auf ihrem Scheitel thronte. »Überhaupt nicht! Eine meiner Freundinnen hatte gleichzeitig vier Stück bekommen! Ihr Mann hat sich darüber so gefreut, daß er ein Abendessen gab und die Babies auf die Tafel stellen ließ. Sie war natürlich sehr stolz.«

»In Deutschland pflegt man das Familienleben!« posaunte der Handelsreisende und knabberte an einer Kartoffel, die er auf sein Messer gespießt hatte.

Ein anerkennendes Schweigen folgte.

Die Teller wurden gewechselt, und es gab Rindfleisch, Johannisbeeren und Spinat. Alle putzten ihre Gabeln am Schwarzbrot ab und begannen wieder zu essen.

»Wie lange bleiben Sie hier?« fragte der Herr Rat.

»Ich weiß es nicht genau. Im September muß ich wieder in London sein.«

»Natürlich werden Sie sich München ansehen?«

»Leider habe ich nicht genügend Zeit. Es ist wichtig, daß ich meine Kur nicht unterbreche.«

»Aber nach München *müssen* Sie gehen! Sie haben Deutschland nicht gesehen, wenn Sie sich München nicht angesehen haben! Alle Museen und das ganze Kunst- und Seelenleben Deutschlands finden Sie in München! Im August ist die Wagner-Festspielwoche, danach kommt Mozart dran und eine japanische Bilderausstellung – und dann das Bier! Sie wissen nicht, was gutes Bier ist, bevor Sie in München waren. Ich habe jeden Nachmittag vornehme Damen gesehen, wirklich vornehme Damen, kann ich Ihnen versichern, die ihr Bier aus Gläsern von dieser Höhe tranken!« Er deutete die Höhe eines Wasserkrugs von einer Waschkommode an, und ich lächelte.

»Wenn ich viel Münchner Bier trinke, komme ich so ins Schwitzen«, erzählte Herr Hoffmann. »Wenn ich hier bin, im Freien oder vor meinen Bädern, schwitze ich auch, aber ich genieße es; doch in der Stadt ist es nicht dasselbe!«
Der Gedanke regte ihn an, sich Hals und Gesicht mit der Serviette abzuwischen und sich sorgfältig die Ohren zu reinigen.
Eine Glasschüssel mit gedünsteten Aprikosen wurde auf den Tisch gestellt.
»Ah, Obst!« rief Fräulein Stiegelauer. »Es ist so wichtig für die Gesundheit! Der Arzt hat mir heute früh gesagt, je mehr Obst ich esse, desto besser wäre es!«
Offensichtlich befolgte sie seinen Rat. Und nun begann der Handelsreisende: »Vermutlich haben auch Sie Angst vor einer Invasion? Oh, es ist glänzend: ich habe alles über Ihre englische Diplomatie in einer Zeitung gelesen. Haben Sie es auch gesehen?«
»Ja.« Ich richtete mich kerzengerade auf. »Ich kann Ihnen versichern, daß wir keine Angst haben.«
»So? Das sollten Sie aber«, sagte der Herr Rat. »Sie haben überhaupt kein Heer – bloß ein paar kleine Burschen, deren Adern von Nikotinvergiftung verseucht sind.«
»Sie brauchen keine Angst zu haben!« sagte Herr Hoffmann. »Wir wollen England gar nicht haben. Wenn wir England haben wollten, hätten wir's uns schon längst geholt. Wir wollen es wirklich nicht!«
Er schwenkte hochmütig seinen Löffel und sah mich an, als wäre ich ein kleines Kind, das man nach Belieben festhalten oder fortschicken könne.
»Wir wollen Deutschland bestimmt nicht haben«, sagte ich.
»Heute morgen habe ich ein Sitzbad genommen. Heute nachmittag muß ich dann ein Kniebad und ein Armbad nehmen«, gab der Herr Rat zum besten. »Danach mache ich eine Stunde lang meine Übungen, und dann habe ich mein Pensum geschafft. Ein Glas Wein und ein paar Brötchen mit Sardinen …«
Kirschkuchen mit Schlagsahne wurde herumgereicht.
»Was für Fleisch ißt Ihr Mann am liebsten?« fragte die Witwe.

»Das weiß ich wirklich nicht«, antwortete ich.
»Das wissen Sie nicht? Wie lange sind Sie denn verheiratet?«
»Seit drei Jahren.«
»Aber das kann doch nicht Ihr Ernst sein! Man kann nicht eine Woche lang als Ehefrau haushalten, ohne darüber Bescheid zu wissen.«
»Ich habe ihn wirklich nie gefragt – er macht sich nicht viel aus Essen.«
Eine Pause entstand. Alle blickten mich kopfschüttelnd an – den Mund voller Kirschkerne.
»Kein Wunder, daß sich jetzt in England die furchtbare Situation von Paris wiederholt«, sagte die Witwe und legte ihre Serviette zusammen. »Wie kann eine Frau erwarten, ihren Mann zu halten, wenn sie nach drei Jahren noch nicht sein Lieblingsgericht kennt?«
»Mahlzeit!«
»Mahlzeit!«
Ich machte die Tür hinter mir zu.

»Wer ist das?« fragte ich. »Und warum sitzt er immer allein und hat uns den Rücken zugekehrt?«
»Oh«, wisperte die Frau Oberregierungsrat, »er ist ein *Baron.«*
Sie sah mich sehr feierlich an, und doch mit einem Hauch von Verachtung: einem Ausdruck, wie ›Nein, so etwas, das nicht gleich auf den ersten Blick erkannt zu haben!‹
»Aber er kann ja nichts dafür, der arme Mensch!« sagte ich. »Diese unselige Tatsache dürfte ihn doch nicht von den Annehmlichkeiten intelligenten Umgangs ausschließen!«
Wenn nicht ihre Gabel gewesen wäre, hätte sie sich, glaube ich, bekreuzigt.
»Bestimmt verstehen Sie es nicht! Er ist ein Baron – von Uradel!«
Reichlich erschüttert wandte sie sich an die Frau Doktor zu ihrer Linken.
»Meine Omelette ist leer – *leer!«* protestierte sie. »Und das ist die dritte, die ich probiert habe!«
Ich blickte auf den uradeligen Baron. Er aß Salat, indem er ein ganzes Salatblatt auf seine Gabel nahm und es sich dann allmählich, nach Art der Kaninchen, einverleibte: für den Beobachter ein faszinierender Vorgang.
Er war klein und schmächtig, hatte schütteres schwarzes Haar, einen schwarzen Bart und eine gelbliche Hautfarbe; beständig trug er einen schwarzen Sergeanzug, ein Hemd aus grobem Leinen, schwarze Sandalen und die größte schwarz eingefaßte Brille, die ich je gesehen hatte.
Der Herr Oberlehrer, der mir gegenübersaß, lächelte leutselig.
»Es muß doch sehr interessant für Sie sein, gnädige Frau, alles beobachten zu können ... natürlich ist das hier ein sehr vornehmes Haus! Im Sommer hatten wir eine Dame vom spanischen Hof hier; sie hatte eine Leber. Wir unterhielten uns oft.«
Ich machte ein erfreutes und demütiges Gesicht.

»In England findet man in einem *boarding-house* nicht die Erste Klasse – wie in Deutschland.«
»Nein, allerdings nicht«, erwiderte ich und schaute noch immer wie hypnotisiert auf den Baron, der einem kleinen gelben Seidenwurm glich.
»Der Baron kommt jedes Jahr her«, fuhr der Herr Oberlehrer fort, »wegen seiner Nerven. Er hat nie mit einem der Gäste gesprochen – *noch nie!*« Ein Lächeln flog über sein Gesicht. Ich glaubte an seiner Vision teilzuhaben – dem prachtvollen Umsturz jenes Schweigens – dem aufwühlenden Austausch von Höflichkeiten in einer ungewissen Zukunft – dem bereitwilligen Überlassen einer Zeitung an IHN, den Erhabenen – und ein ›Dankeschön‹ – zukünftigen Generationen überliefert.
In diesem Augenblick kam der Briefträger, der wie ein deutscher Offizier aussah, und brachte die Post. Meine Briefe warf er in meinen Milchpudding, und dann wandte er sich an die Kellnerin und flüsterte. Sie verzog sich eilfertig. Der Geschäftsführer der Pension erschien mit einem kleinen Tablett, auf dem eine Ansichtskarte lag. Er trug sie zum Baron und verbeugte sich dabei ehrerbietig.
Was mich betrifft, war ich enttäuscht, daß nicht aus fünfundzwanzig Kanonen Salut geschossen wurde.
Gegen Ende der Mahlzeit wurde Kaffee gereicht. Ich bemerkte, daß der Baron drei Stück Zucker nahm, zwei in seine Tasse fallen ließ und das dritte in einen Zipfel seines Taschentuchs einwickelte. Er war immer der erste, der ins Speisezimmer kam, und der letzte, der wieder ging, und auf einen leeren Stuhl neben sich legte er stets eine kleine schwarzlederne Tasche.
Am Nachmittag, als ich mich aus dem Fenster lehnte, sah ich ihn die Straße hinuntergehen: er ging schwankenden Schritts und trug die schwarze Tasche. Jedesmal, wenn er an einem Laternenpfahl vorbeikam, zuckte er ein klein wenig zurück, als befürchte er, von ihm geschlagen zu werden –, oder vielleicht war es auch nur die Furcht vor plebejischer Besudelung.
Ich hätte gern gewußt, wohin er ging und weshalb er die

Tasche bei sich hatte. Im Kasino oder im Kurhaus hatte ich ihn nie gesehen. Er sah vereinsamt aus; seine in den Sandalen steckenden Füße glitten aus. Ich entdeckte, daß ich Mitleid mit dem Baron hatte.

Am gleichen Abend war eine Gruppe von uns im Salon versammelt, wo wir fabelhaft munter die ›Kur‹ des Tages besprachen. Die Frau Oberregierungsrat saß neben mir: sie strickte ein warmes Tuch für die jüngste ihrer neun Töchter, die sich in den gewissen anfälligen Umständen befand. »Aber es wird bestimmt zufriedenstellend ausgehen«, sagte sie zu mir. »Das gute Kind hat einen Bankier geheiratet – es war ihr Herzenswunsch!«

Wir saßen wohl unser acht oder zehn beisammen: wir, die Verheirateten, tauschten Vertraulichkeiten über die Unterkleidung und die besonderen Eigentümlichkeiten unserer Ehemänner aus, und die Unverheirateten unterhielten sich über die Oberkleidung und die besonderen Reize der in Frage kommenden Kandidaten.

»Ich stricke sie selbst«, hörte ich die Frau Lehrer rufen, »aus dicker grauer Wolle. Eins kann er einen ganzen Monat tragen, mit zwei weichen Kragen.«

»Und dann«, flüsterte Fräulein Lisa, »sagte er zu mir: ›Doch, Sie gefallen mir! Ich werde vielleicht Ihrer Mutter schreiben.‹«

Es ist also nicht verwunderlich, daß wir ziemlich stark erregt und vom Ernst dieser Probleme erfüllt waren.

Plötzlich öffnete sich die Tür, und es erschien – der Baron. Darauf folgte eine völlige, grabestiefe Stille.

Er trat langsam ein, zauderte, nahm aus einer oben auf dem Klavier stehende Schale einen Zahnstocher und ging wieder hinaus.

Als sich die Tür geschlossen hatte, stimmten wir ein Triumphgeschnatter an! Es war das erstemal seit Menschengedenken, daß er den Salon betreten hatte. Wer konnte ahnen, was die Zukunft bringen würde?

Die Tage verstrichen und wurden zu Wochen. Wir waren noch immer beisammen, und noch immer interessierte mich die einsame kleine Gestalt mit dem gesenkten Kopf, den an-

scheinend das Gewicht der Brille niederzog. Mit der schwarzen Ledertasche trat er ein, mit der schwarzen Ledertasche zog er sich zurück – und das war alles.
Schließlich erzählte uns der Geschäftsführer, daß der Baron am nächsten Tag abreise.
›Oh‹, dachte ich, ›er kann unmöglich ins Unbekannte verwehen – sich ohne ein Wort davonmachen! Bestimmt wird er der Frau Oberregierungsrat oder der Frau Feldleutnantswitwe ein einzigesmal die Ehre geben, bevor er geht!‹
Am Abend jenes Tages regnete es heftig. Ich ging zur Post, und als ich – schirmlos – auf der Treppe stand und zögerte, ehe ich mich wieder auf die schmutzige Straße stürzte, schien sich unter meinem Ellbogen eine kleine, zaudernde Stimme hervorzuwagen.
Ich sah hinab. Es war der uradelige Baron mit der schwarzen Tasche und einem Schirm. War ich verrückt? War ich normal? Er forderte mich auf, letzteren mit ihm zu teilen. Ich war außerordentlich nett, ein bißchen schüchtern und angemessen ehrerbietig. Gemeinsam gingen wir durch Matsch und Schmutz.
Es hat etwas merkwürdig Vertrauliches an sich, einen Schirm gemeinsam zu benutzen.
Sehr leicht sieht man sich dadurch in die gleiche Lage versetzt, wie wenn man einem Mann den Rock abklopft: ein bißchen wagemutig und unbefangen.
Ich wollte furchtbar gern wissen, weshalb er allein saß, weshalb er die Tasche trug und was er den ganzen Tag machte. Doch ungefragt lieferte er selbst einige Auskünfte.
»Ich fürchte, daß mein Gepäck feucht wird«, sagte er. »Ich trage es stets selber in dieser Tasche mit mir herum – man braucht ja nur so wenig – und die Dienstboten sind nicht vertrauenswürdig.«
»Ein kluger Einfall«, erwiderte ich. Und dann: »Weshalb beraubten Sie uns des Vergnügens ... «
»Ich sitze allein, damit ich mehr essen kann«, sagte der Baron und spähte ins Dunkel. »Mein Magen benötigt sehr viel Essen. Ich bestelle die doppelte Portion und verzehre sie ungestört.«

Was prachtvoll baronswürdig klang.
»Und was tun Sie den ganzen Tag?«
»Ich führe mir Nahrung zu«, erwiderte er mit einer Stimme, die dem Gespräch ein Ende setzte und das Teilen des Schirms fast bereute.
Als wir die Pension erreichten, kam es beinah zu einem Volksauflauf.
Ich sprang halbwegs die Treppe hinauf und dankte dem Baron hörbar vom Treppenabsatz aus.
Er erwiderte unmißverständlich: »Nicht der Rede wert!«
Es war sehr freundlich vom Herrn Oberlehrer, daß er mir am Abend einen Strauß schicken ließ, und von der Frau Oberregierungsrat, daß sie mich um ein Muster für eine Babymütze bat!

:::::::::::::::::::::::

Am nächsten Tag war der Baron abgereist.
Sic transit gloria deutsche mundi.

— — — — — — — — — — — — — — —

»Heute nachmittag treffen zwei neue Gäste ein«, sagte der Geschäftsführer der Pension und rückte mir einen Stuhl an den Frühstückstisch. »Ich habe den Brief, der es mir mitteilt, erst heute früh bekommen. Die Baronin von Gall schickt ihre kleine Tochter zur Kur her – das arme Kind ist stumm. Sie soll einen Monat bei uns bleiben, und dann kommt die Frau Baronin selber.«

»Die Baronin von Gall?« rief die Frau Doktor, die ins Frühstückszimmer trat und buchstäblich Witterung von dem Namen aufnahm. »Sie kommt hierher? Erst letzte Woche war ein Bild von ihr im Heft *Sport und Salon*! Sie verkehrt bei Hofe. Ich habe gehört, daß sie von der Kaiserin geduzt wird. Ist ja ganz reizend! Ich werde den Rat meines Arztes befolgen und noch sechs Wochen länger hierbleiben. Es geht nichts über jugendliche Gesellschaft!«

»Aber das Kind ist stumm!« brachte der Geschäftsführer entschuldigend vor.

»Pah! Was hat das zu sagen? Behinderte Kinder sind so niedlich in ihrem Benehmen.«

Jeder Gast, der ins Frühstückszimmer trat, wurde mit der wundervollen Neuigkeit bombardiert. ›Die Baronin von Gall schickt ihr Töchterchen her; die Baronin selbst kommt einen Monat später!‹ Kaffee und Brötchen wuchsen sich zu einer Orgie aus. Wir sprühten geradezu Funken. Anekdoten von den Hochwohlgeborenen wurden ausgeschenkt, gesüßt und geschlürft; wir verschlangen hochwohlgeborenen Skandal, reichlich gebuttert.

»Sie bekommen das Zimmer neben dem Ihrigen«, sagte der Geschäftsführer, zu mir gewandt. »Ich wüßte gern, ob Sie mir gestatten, das über Ihrem Bett hängende Porträt der Kaiserin Elisabeth abzunehmen und nebenan über das Sofa zu hängen?«

»Ja, gut so! Etwas Anheimelndes!« Die Frau Oberregierungsrat tätschelte mir die Hand. »Und für Sie von keinerlei Bedeutung.«

Ich fühlte mich ein wenig zerquetscht – nicht wegen der Aussicht, diese Vision aus Diamanten und blauem Samtbusen zu verlieren, sondern wegen des Tons, der mich aus dem Gehege ausschloß und als Ausländerin brandmarkte.

Wir verzettelten den Tag mit triftigen Vermutungen, fanden, daß es zu warm sei, um am Nachmittag spazierenzugehen, und legten uns deshalb aufs Bett, um zum Nachmittagskaffee vollzählig anzutreten. Ein Wagen fuhr an der Haustür vor. Ein großes junges Mädchen stieg aus und führte ein Kind an der Hand. Sie betraten die Halle, wurden begrüßt und auf ihr Zimmer geführt. Zehn Minuten danach kam sie mit dem Kind wieder herunter, um sich ins Fremdenbuch einzuschreiben. Sie trug ein schwarzes, enganliegendes Kleid, das am Hals und an den Handgelenken mit weißen Rüschen besetzt war. Ihr braunes, in Zöpfe geflochtenes Haar wurde von einer schwarzen Schleife zusammengehalten. Sie war ungewöhnlich blaß und hatte auf der linken Wange ein kleines Muttermal.

»Ich bin die Schwester der Baronin von Gall«, sagte sie, probierte die Feder an einem Stück Löschpapier aus und lächelte uns mißbilligend an. Selbst für die Abgebrühtesten unter uns hält das Leben aufregende Momente bereit. Zwei Baroninnen innerhalb eines Monats! Der Geschäftsführer verließ sofort die Halle, um eine neue Stahlfeder zu holen.

Meine Plebejeraugen fanden die Kleine merkwürdig reizlos. Sie sah aus, als wäre sie ständig mit Wäscheblau gewaschen worden, und ihr Haar war wie graue Wolle; überdies trug sie eine so steif gestärkte Schürze, daß sie nur aus der obersten Rüsche zu uns hervorspähen konnte – eine gesellschaftliche Schranke, diese Latzschürze –, und vielleicht war es zuviel, von einer adligen Tante zu erwarten, daß sie sich mit der ordinären Pflege der Ohren ihrer Nichte abgab. Aber eine stumme Nichte mit ungewaschenen Ohren erschien mir als etwas äußerst Deprimierendes!

Die Plätze am Kopf der Tafel wurden ihnen zugewiesen. Einen Augenblick sahen wir uns alle mit einer Miene wie beim Auszählen an. Dann begann die Frau Oberregierungsrat.

»Hoffentlich sind Sie nicht zu müde nach der Reise?«
»Nein«, sagte die Schwester der Baronin und lächelte in ihre Tasse hinein.
»Hoffentlich ist die liebe Kleine nicht zu müde?« fragte die Frau Doktor.
»Nein, überhaupt nicht.«
»Ich glaube – ich hoffe, daß Sie heute nacht gut schlafen werden«, sagte der Herr Oberlehrer respektvoll.
»Ja.«
Der Dichter aus München wandte keinen Blick von den beiden ab. Er duldete es, daß seine Krawatte den größten Teil seines Kaffees aufsaugte, während er die beiden überaus seelenvoll anblickte.
Er nimmt seinem Pegasus das Joch ab, dachte ich. Seine Oden an die Einsamkeit liegen in Todeskrämpfen! Diese junge Frau barg Möglichkeiten einer Inspiration, ganz zu schweigen von einer Widmung, und von diesem Augenblick an nahm sein leidendes Gemüt das Bett auf und wandelte.
Nach der Mahlzeit zogen sie sich zurück und ließen uns in Muße über sie diskutieren.
»Die Änlichkeit ist vorhanden«, sagte die Frau Doktor nachdenklich. »Bestimmt! Und was für ein Benehmen! So zurückhaltend! Und so zärtlich mit dem Kind!«
»Schade, daß sie sich um das Kind kümmern muß«, rief der Student aus Bonn. Bisher hatte er sich darauf verlassen, daß seine drei Schmisse und sein Couleurband ihre Wirkung ausüben würden, doch die Schwester einer Baronin verlangte mehr.
Anstrengende Tage folgten. Wäre sie auch nur eine Spur weniger hochwohlgeboren gewesen, hätten wir die ständigen Gespräche über sie nicht durchstehen können, die Loblieder auf sie und die genauen Berichte über ihr Tun und Treiben. Doch huldvoll ertrug sie unsere Verehrung, und wir waren mehr als zufrieden. Dem Dichter schenkte sie ihr Vertrauen. Er trug ihre Bücher, wenn wir spazierengingen, er ließ die kleine Behinderte auf seinen Knien reiten – eine poetische Lizenz! –, und eines Morgens brachte er sein Notizbuch in den Salon und las uns daraus vor.

»Die Schwester der Frau Baronin hat mir versichert, daß sie in ein Kloster eintreten will«, sagte er. (Das ließ den Studenten aus Bonn die Ohren spitzen.) »Ich habe diese wenigen Zeilen gestern abend in der holden Nachtluft an meinem Fenster verfaßt ...«
»Oh, aber Ihre zarte Lunge!« bemerkte die Frau Doktor.
Er fixierte sie mit steinernem Blick, und sie errötete.
»Ich habe folgende Verse verfaßt:

›Oh, willst du in ein Kloster flieh'n,
so jung, so frisch, so hold?
Spring wie ein Rehkitz durch die Au'n,
wie's deiner Schönheit ziemt!‹«

Neun ebenso liebliche Strophen empfahlen ihr neun weitere, ebenso stürmische Betätigungen. Ich bin überzeugt, hätte sie seinen Rat befolgt, dann hätte ihr nicht einmal der Rest ihrer Lebenstage genügend Zeit gelassen, um wieder zu Atem zu kommen.
»Ich habe ihr eine Abschrift geschenkt«, sagte er. »Und heute haben wir vor, in den Wald zu gehen und Blumen zu suchen.«
Der Student aus Bonn stand auf und verließ das Zimmer. Ich bat den Dichter, seine Verse zu wiederholen. Am Ende der sechsten Strophe zeigte mir ein Blick aus dem Fenster, daß die Schwester der Frau Baronin und der zernarbte Student aus Bonn durchs Gartentor verschwanden, was mich bestimmte, dem Dichter so hingerissen zu danken, daß er sich erbot, mir eine Abschrift anzufertigen.
Doch wir lebten in jenen Tagen unter zu hohem Druck. Von unserer bescheidenen Pension zu den Mauern hoher Paläste auffliegend – mußten wir da nicht abstürzen? Eines späten Nachmittags kam die Frau Doktor ins Schreibzimmer und drückte mich an ihren Busen.
»Sie hat mir ihr ganzes Leben geschildert!« flüsterte die Frau Doktor. »Sie kam in mein Schlafzimmer und erbot sich, mir meinen Arm zu massieren. Unter meinem Rheumatismus leide ich nämlich wie die größte Märtyrerin. Und stellen Sie

sich vor: sie hat bereits sechs Heiratsanträge gehabt! So herrliche Anträge, daß ich Ihnen schwöre, ich mußte weinen – und jeder von adliger Geburt! Meine Liebe, den schönsten erhielt sie im Wald! Zwar glaube ich, daß ein Heiratsantrag in einem Salon gemacht werden sollte – es ist schicklicher, vier Wände um sich zu haben –, aber es war ein Wald in Privatbesitz. Er – der junge Offizier – sagte ihr, sie sei wie ein Bäumchen, dessen Zweige nie von der ruchlosen Hand eines Mannes berührt worden waren. Was für eine Delikatesse!« Sie seufzte und verdrehte die Augen.

»Natürlich ist so etwas für euch Engländerinnen schwer zu verstehen, da ihr immer auf den Kricketplätzen eure Beine zeigt und im Hintergarten Hunde züchtet. Zu schade! Jugend sollte wie eine wilde Rose sein! Ich für mein Teil verstehe nicht, wie ihr Engländerinnen überhaupt geheiratet werdet!«

Sie schüttelte den Kopf so heftig, daß ich den meinen ebenfalls schüttelte und Schwermut mein Herz umfing. Anscheinend waren wir wirklich sehr übel dran. Breitete der Geist der Romantik seine rosigen Schwingen nur über das aristokratische Deutschland aus?

Ich ging in mein Zimmer, band mir ein rotes Tuch ums Haar und nahm einen Band Mörikes Gedichte in den Garten mit. Hinter der Laube wuchs ein großer dunkellila Fliederbusch. Dort setzte ich mich nieder und spürte in seiner zarten Andeutung von Halbtrauer eine schwermütige Symbolik. Ich begann selbst ein Gedicht zu verfassen.

Sie wehen, schmachtend und verträumt,
Wir aber küssen uns, verschränkt ...

Weiter ging's nicht! ›Verschränkt‹ klang durchaus nicht verlockend. Es roch nach Schränken. War meine wilde Rose schon verstaubt und matt? Ich kaute an einem Blatt und umklammerte meine Knie. Dann – magischer Moment – hörte ich Stimmen in der Laube: die Schwester der Frau Baronin und der Student aus Bonn! Nachrichten aus zweiter Hand waren besser als gar nichts: ich spitzte die Ohren.

»Was für kleine Hände Sie haben!« sagte der Student aus Bonn. »Wie weiße Seerosen auf dem dunklen Teich Ihres schwarzen Kleides!« Das klang nun wirklich echt. Ihre hochwohlgeborene Antwort hätte mich interessiert. Nichts als empfindsames Gemurmel.
»Darf ich die eine halten?«
Ich hörte zwei Seufzer – sicher hielten sie sich bei der Hand – er hatte die dunklen Gewässer um eine edle Blüte beraubt!
»Schauen Sie meine derben Finger neben Ihren!«
»Aber sie sind wunderbar manikürt!« sagte die Schwester der Frau Baronin schüchtern.
So ein Weib! War Liebe eine Frage der Nagelpflege?
»Wie irrsinnig gern ich Sie küssen würde«, murmelte der Student. »Aber verstehen Sie, ich leide an einem schweren Nasenkatarrh, und ich wage es nicht, Sie anzustecken! In der Nacht mußte ich sechszehnmal niesen, ich habe mitgezählt! Und drei Taschentücher verbraucht!«
Ich warf Mörike in den Fliederbusch und kehrte ins Haus zurück. Ein großes Auto röchelte vor dem Eingang. Im Salon großer Aufruhr. Die Frau Baronin stattete ihrer kleinen Tochter einen Überraschungsbesuch ab. In einem gelben Staubmantel gekleidet, stand sie mitten im Zimmer und fragte den Geschäftsführer aus. Und alle Gäste, die die Pension beherbergte, waren um sie versammelt, sogar die Frau Doktor, die heuchlerisch einen Fahrplan studierte, um den erlauchten Röcken so nahe wie möglich zu sein.
»Aber wo ist meine Zofe?« fragte die Frau Baronin.
»Eine Zofe ist nicht gekommen«, erwiderte der Geschäftsführer, »nur Ihr Fräulein Schwester und das Töchterchen.«
»Meine Schwester?« rief sie scharf. »Dummheit! Ich habe keine Schwester. Mein Kind reist mit der Tochter meiner Schneiderin!«
Vorhang!

Frau Fischer

Frau Fischer war die glückliche Besitzerin einer Kerzenfabrik – irgendwo an den Ufern der Eger gelegen –, und einmal jährlich unterbrach sie ihre Arbeit, um eine Kur in Dorschhausen zu machen, wo sie mit einer Tragtasche und einem Schließkorb eintraf, der ordentlich mit schwarzer Wachsleinwand überzogen war. Die Tragtasche enthielt neben ihren Taschentüchern, Eau de Cologne, Zahnstochern und einem Wolltuch, das sehr wohltuend für ihren Magen war, auch noch Musterproben ihrer Fertigkeit im Kerzendrehen, die sie – ein Zeichen ihrer Dankbarkeit – als Geschenk überreichte, wenn die Urlaubszeit beendet war.
Eines Juli-Nachmittags um vier Uhr erschien sie in der Pension Müller. Ich saß in der Laube und beobachtete, wie sie den Gartenweg heraufwuselte, hinter ihr der rotbärtige Träger mit dem Schließkorb unter dem Arm und einer Sonnenblume zwischen den Zähnen. Die Witwe und ihre unschuldigen fünf Töchter waren geschmackvoll und in angemessener Willkommensstellung auf der Treppe aufgereiht. Die Begrüßung war so lang und laut, daß ich mich mitfühlend für Frau Fischer erwärmte.
»Was für eine Reise!« rief Frau Fischer. »Und nichts zu essen im Zug – nichts Richtiges! Meine Magenwände sind bestimmt zusammengeklappt. Aber ich darf mir den Appetit aufs Nachtessen nicht verderben – nur ein Täßchen Kaffee aufs Zimmer, bitte! Bertha«, wandte sie sich an die jüngste der fünf. »Wie verändert! Was für ein Busen! Ich gratuliere Ihnen, Frau Müller!«
Die Witwe drückte abermals Frau Fischers Hände. »Auch Kathi ist ein prächtiges Mädchen, aber ein bißchen blaß. Vielleicht kommt der junge Mann aus Nürnberg dieses Jahr wieder her? Wie Sie sie alle festhalten, verstehe ich nicht. Jedes Jahr erwarte ich bei meinem Kommen, ein leeres Nest vorzufinden. Es ist erstaunlich!« Frau Müller erwiderte mit beschämter, sich rechtfertigender Stimme: »Wir sind eine so glückliche Familie, seit mein lieber Mann starb.«

»Aber diese Heiraten – man muß Mut haben, und schließlich: lassen sie ihnen Zeit, dann machen sie die glückliche Familie nur noch größer! Gott sei's gedankt! . . . Sind jetzt sehr viel Gäste hier?«

»Jedes Zimmer ist besetzt.«

Es folgte eine ausführliche Beschreibung im Flur, eine gemurmelte Erklärung auf der Treppe und eine Fortsetzung für sechs Stimmen, als sie das große Zimmer betraten, dessen Fenster auf den Garten hinausgingen und das Frau Fischer jahraus, jahrein bewohnte. Ich las gerade ›Die Wundertaten von Lourdes‹, ein Buch, das zu durchdenken ein katholischer Priester mich gebeten hatte – mit düsterem Blick auf meine Seele; doch seine Wunder wurden durch Frau Fischers Ankunft vollständig vertrieben. Nicht einmal die weißen Rosen zu Füßen der Jungfrau Maria konnten in dieser Atmosphäre florieren . . .

› . . . Es war ein einfaches Hirtenmädchen, das auf dem kahlen Feld die Herde weidete . . .‹

Stimme aus dem Zimmer oben: »Der Waschständer ist natürlich mit Seifenwasser abgeschrubbt worden.«

› . . . sehr arm, und der Körper nur unzulänglich in Lumpen gehüllt . . .‹

»Jedes einzelne Möbelstück ist drei Tage lang im Garten gesonnt worden. Und den Teppich haben wir selber aus alten Kleidern genäht. Das da ist ein Stück von dem schönen Flanellunterrock, den Sie uns im vorigen Sommer hiergelassen hatten.«

› . . . das Kind war taubstumm, ja die Leute hielten es für halb verblödet . . .‹

»Ja, das ist ein neues Bild vom Kaiser! Das von Jesus mit der Dornenkrone haben wir auf den Flur gehängt. Es war nicht fröhlich, damit einzuschlafen. Liebe Frau Fischer, möchten Sie Ihren Kaffee nicht im Garten trinken?«

»Das ist ein sehr guter Gedanke! Aber zuerst muß ich mein Korsett und meine Stiefel ausziehen! Ah, was für eine Erleichterung, wenn man wieder Sandalen tragen kann! Dieses Jahr habe ich die Kur sehr nötig. Meine Nerven! Ich bin ein Nervenbündel! Während der ganzen Reise saß ich da und hatte das Taschentuch über dem Gesicht, sogar, als der Schaffner die Fahrkarten knipste. Einfach erschöpft!«

Sie kam in die Laube und trug einen schwarzweiß getupften Morgenrock und eine Kattunkappe mit Schirm aus Lackleder, hinter ihr Kathi, die den Malzkaffee in der kleinen blauen Kanne brachte. Wir wurden einander korrekt vorgestellt. Frau Fischer setzte sich, zog ein tadellos sauberes Taschentuch hervor und putzte damit die Tasse und die Untertasse; dann hob sie den Deckel von der Kaffeekanne und blickte trübselig auf den Inhalt.

»Malzkaffee!« sagte sie. »Ach, während der ersten paar Tage frage ich mich immer, wie ich damit fertig werden soll. Natürlich muß man, wenn man von zu Hause fort ist, auf Unbequemlichkeiten und seltsames Essen gefaßt sein. Aber wie ich meinem lieben Mann immer zu erklären pflegte: mit einem sauberen Bettlaken und einer guten Tasse Kaffee kann ich überall glücklich sein. Doch jetzt, mit solchen Nerven, fällt mir kein Opfer zu schwer. An was für Beschwerden leiden Sie denn? Sie sehen außerordentlich gesund aus!«

Ich lächelte und zuckte die Achseln.

»Ach, das ist so seltsam mit euch Engländerinnen: anscheinend macht es euch gar kein Vergnügen, über die Funktionen des Körpers zu sprechen. Das ist gerade so, als spräche man von einem Zug und weigere sich, die Lokomotive zu erwähnen. Wie können wir hoffen, jemanden zu verstehen, wenn wir nichts über seinen Magen wissen? Während der schwersten Krankheit meines Mannes wurden die Breiumschläge ...«

Sie tauchte ein Stück Zucker in ihren Kaffee und beobachtete, wie es schmolz.

»Doch ein junger Freund von mir, der zum Begräbnis seines Bruders nach England fuhr, hat mir erzählt, daß die Frauen in öffentlichen Restaurants Taillen trugen, in die jeder Kellner unvermeidlicherweise hineinblicken mußte, wenn er die Suppe servierte!«

»Aber nur deutsche Kellner«, entgegnete ich. »Englische Kellner blicken einem über den Scheitel!«

»Da haben wir's!« rief sie. »Jetzt sehen Sie, wie abhängig

Sie von Deutschland sind. Nicht mal einen eigenen tüchtigen Kellner haben Sie in England!«

»Aber mir ist es lieber, wenn sie einem über den Scheitel hinwegblicken!«

»Das beweist, daß Sie sich Ihrer Taille schämen!«

Ich blickte auf den Garten mit seinem Goldlack und den hochstämmigen Rosenbäumchen, die so steif wie deutsche Buketts dastanden, und dachte, mir ist das alles einerlei. Ich wollte sie beinah fragen, ob der junge Freund als Kellner nach England gegangen sei, um bei der Leichenfeier den Braten zu servieren, doch ich fand, es sei nicht der Mühe wert. Das Wetter war zu heiß, um boshaft zu sein, und wie konnte man unbarmherzig sein, wenn man ein Opfer der chaotischen Gefühle war, die Frau Fischer bis halb sieben heimsuchten? Wie eine Gabe des Himmels für meine Geduld kam der engelhaft in einen weißseidenen Anzug gekleidete Herr Rat den Gartenweg herab auf uns zu. Er und Frau Fischer waren alte Freunde. Sie zog die Falten ihres Morgenrocks enger um sich und machte ihm auf der kleinen grünen Bank Platz.

»Wie kühl Sie aussehen«, sagte sie, »und, wenn Sie die Bemerkung gestatten, was für ein wunderschöner Anzug!«

»Den habe ich doch bestimmt schon getragen, als ich im vorigen Sommer hier war? Ich habe die Seide aus China mitgebracht—hatte sie durch den russischen Zoll geschmuggelt, indem ich sie mir um den Leib wickelte. Und zwar eine ganze Menge: zwei Kleiderlängen für meine Schwägerin, drei Anzüge für mich und einen Umhang für die Haushälterin meiner Münchner Wohnung. Wie ich geschwitzt habe! Jeder Zollbreit mußte hinterher gewaschen werden!«

»Sie haben bestimmt mehr Abenteuer als jeder andere in Deutschland erlebt! Wenn ich an die Zeit denke, die Sie in der Türkei verbracht haben — mit dem betrunkenen Führer, der von einem tollen Hund gebissen wurde und über einen Steilhang in ein Feld voller Rosenöl fiel, dann bedaure ich es, daß Sie kein Buch geschrieben haben.«

»Die Zeit! Die Zeit! Ich stelle ein paar Notizen zusammen. Doch da Sie jetzt hier sind, wollen wir unsre ruhigen Plauderstündchen nach dem Abendessen wieder aufnehmen, ja? Für einen Mann ist es nötig und angenehm, gelegentlich in der Gesellschaft von Frauen Entspannung zu suchen.«

»Das begreife ich so gut! Selbst hier ist Ihr Leben zu anstrengend. Sie sind so begehrt – so bewundert! Es war genau dasselbe mit meinem lieben Mann. Er war groß, ein schöner Mann, und abends kam er manchmal in die Küche hinunter und sagte zu mir: ›Frau, ich möchte mal zwei Minuten lang dumm sein!‹ Nichts ruhte ihn so aus, als wenn ich ihm den Kopf streichelte.«

Der im Sonnenschein blitzende kahle Schädel des Herrn Rat schien ein Symbol für das betrübliche Fehlen einer Ehefrau zu sein. Ich begann mir über die Natur der ruhigen kleinen Plauderstündchen nach dem Abendessen Gedanken zu machen. Wie konnte man die Delila eines so kahlgerupften Simson sein?

»Gestern ist Herr Hoffmann aus Berlin eingetroffen«, sagte der Herr Rat.

»Ich weigere mich, mit dem jungen Mann zu sprechen. Im vorigen Jahr hat er mir erzählt, er hätte sich in Frankreich in einem Hotel aufgehalten, wo es keine Servietten gab. Was das für ein Hotel gewesen sein muß! In Österreich haben sogar die Droschkenkutscher Servietten! Außerdem habe ich mit angehört, wie er mit Bertha über die freie Liebe gesprochen hat, als sie sein Zimmer fegte. An solchen Umgang bin ich nicht gewöhnt. Ich hatte ihm schon seit langer Zeit mißtraut.«

»Junges Blut!« erwiderte der Herr Rat liebenswürdig. »Ich habe wiederholt mit ihm diskutiert – Sie haben es mit angehört, nicht wahr?« wandte er sich an mich.

»Sehr oft«, erwiderte ich lächelnd.

»Zweifellos halten Sie mich für rückständig. Aus meinem Alter mache ich kein Geheimnis, ich bin neunundsechzig; doch Sie müssen sicher bemerkt haben, wie unmöglich es für ihn war, überhaupt etwas zu entgegnen, sowie ich meine Stimme erhob.«

Ich bestätigte es aus innerster Überzeugung, und als ich einen Blick der Frau Fischer auffing, begriff ich plötzlich, daß ich lieber ins Haus gehen und ein paar Briefe schreiben sollte. In meinem Zimmer war es dunkel und kühl. Eine Kastanie drängte mit grünen Zweigen gegen mein Fenster. Ich blickte auf das Roßhaarsofa hinunter, das den Gedanken, sich hineinzukuscheln, so eindeutig als unmoralisch verhöhnte, daß ich das rote Kissen auf den Fußboden zog und mich hinlegte. Und kaum hatte ich mir's bequem gemacht, ging die Tür auf, und Frau Fischer trat ein.

»Der Herr Rat hat einen Badetermin«, sagte sie und schloß hinter sich die Tür. »Darf ich eintreten? Bitte, bleiben Sie liegen! Sie sehen wie eine kleine Angorakatze aus. So, und jetzt müssen Sie mir etwas wirklich Interessantes aus Ihrem Leben erzählen! Wenn ich neue Gäste kennenlerne, quetsche ich sie wie einen Schwamm aus. Zuerst mal: Sie sind verheiratet?«

Ich gab es zu.

»Wo ist aber dann Ihr Mann, mein liebes Kind?«

Ich erzählte ihr, er sei Kapitän zur See und auf einer langen und gefährlichen Fahrt.

»Wie kann er Sie in einer solchen Lage zurücklassen – so jung und so unbeschützt?« Sie setzte sich aufs Sofa und drohte mir neckisch mit dem Finger.

»Geben Sie's zu, daß Sie Ihre Reisen vor ihm geheimhalten! Denn welchem Mann würde es einfallen, einer Frau mit so üppigem Haar zu erlauben, daß sie allein in fremden Ländern herumzieht? Gesetzt den Fall, Sie verlören um Mitternacht in einem eingeschneiten Zug im Norden Rußlands Ihre Geldtasche?«

»Ich habe nicht die leiseste Absicht«, begann ich.

»Ich sage auch nicht, daß Sie es wollen. Als Sie Ihrem lieben Mann Lebewohl sagten, hatten Sie nicht die Absicht, hierherzukommen – davon bin ich felsenfest überzeugt. Meine Liebe, ich bin eine erfahrene Frau, und ich kenne die Welt. Während er abwesend ist, fiebert Ihr Blut. Ihr trauriges Herz fliegt trostsuchend in diese fremden Länder. Zu Hause können Sie den Anblick des leeren Bettes nicht ertragen – es ist, als wären Sie Witwe geworden. Seit dem Tode meines Mannes habe ich keine friedvolle Stunde mehr gehabt.«

»Ich liebe leere Betten«, protestierte ich schläfrig und knuffte das Kissen.
»Das kann nicht wahr sein, weil es unnatürlich wäre. Jede Ehefrau sollte vom Gefühl beseelt sein, daß sie an die Seite ihres Mannes gehört – ob im Schlafen oder im Wachen. Man sieht es ganz eindeutig, daß die stärkste aller Bindungen Sie noch nicht bindet. Warten Sie nur, bis zwei Händchen sich übers Wasser hinweg ausstrecken – warten Sie, bis er in den Hafen kommt und Sie erblickt, das Kind an der Brust!«
Ich richtete mich gliedersteif auf.
»Aber ich halte Kinderkriegen für den allerschmachvollsten Beruf«, sagte ich.
Einen Augenblick herrschte Stille. Dann beugte sich Frau Fischer zu mir herunter und ergriff meine Hand.
»So jung, und schon so grausam leiden müssen«, murmelte sie. »Nichts kann eine Frau so furchtbar verbittern, als wenn sie allein zurückbleiben muß, ohne Mann, ganz besonders, wenn sie verheiratet ist, denn dann ist es ihr unmöglich, die Aufmerksamkeit andrer Männer hinzunehmen – falls sie nicht das Unglück hat, eine Witwe zu sein. Ich weiß natürlich, daß Seekapitäne schrecklichen Verlockungen ausgesetzt und ebenso leicht entflammt sind wie Tenöre – deshalb müssen Sie, wenn sein Schiff in den Hafen einläuft, eine heitere und tatkräftige Miene vorweisen und sich Mühe geben, damit er stolz auf Sie ist.«
Dieser Ehemann, den ich Frau Fischer zuliebe erfunden hatte, wurde unter ihren Händen ein so greifbares Geschöpf, daß ich mich nicht länger mit Seegras im Haar auf einer Klippe sitzen sah, um das Wahngebilde von Schiff zu erwarten, nach dem sich alle Frauen so liebend gern in Sehnsucht zu verzehren glauben. Ich sah mich vielmehr, wie ich einen Kinderwagen die Gangway hinaufschob und die fehlenden Knöpfe an meines Mannes Uniform zählte.
»Ganze Hände voll Babies brauchen Sie«, sagte Frau Fischer nachdenklich. »Dann – als Vater einer Familie – kann er Sie nicht mehr verlassen. Stellen Sie sich seine Freude und Aufregung vor, wenn er Sie sieht!«
Der Plan schien mir ein zu großes Wagnis zu bedeuten. Man

nimmt im allgemeinen nicht an, daß es im Herzen des durchschnittlichen britischen Ehemanns Begeisterung erregen könnte, wenn man plötzlich mit einer Hand voll fremder Babies vor ihm erschiene. Ich beschloß, meine unbefleckte Geistesschöpfung zu zerstören und ihn irgendwo auf der Höhe von Kap Hoorn in die Tiefe zu jagen.
Doch da rief der Gong zum Abendessen.
»Kommen Sie nachher in mein Zimmer«, sagte Frau Fischer. »Ich muß Sie noch eine ganze Menge fragen!«
Sie drückte meine Hand, aber ich drückte die ihre nicht.

Frau Brechenmacher nimmt an einer Hochzeit teil

Sich zurechtmachen war ein schrecklicher Umstand! Nach dem Abendbrot packte Frau Brechenmacher vier von ihren fünf kleinen Kindern ins Bett und erlaubte Rosa, aufzubleiben und ihr zu helfen, die Knöpfe auf Herrn Brechenmachers Uniform zu polieren. Dann fuhr sie mit einem heißen Eisen über sein bestes Hemd, wichste seine Stiefel und nähte ein paar Stiche an seiner schwarzseidenen Krawatte.

»Rosa«, sagte sie, »hol mein Kleid und häng es vor den Herd, damit die Falten weggehen. Und merke dir, du mußt auf die Kleinen aufpassen und darfst nicht länger als halb neun aufbleiben und nicht die Lampe anrühren – du weißt, was passiert, wenn du's tust!«

»Ja, Mama«, sagte Rosa, die neun Jahre alt war und sich erwachsen genug vorkam, um mit tausend Lampen fertig zu werden. »Aber laß mich bitte aufbleiben – vielleicht wird der Bub wach und will Milch haben!«

»Halb neun!« sagte Frau Brechenmacher. »Ich sage Vater Bescheid, damit er's dir befiehlt!«

Rosa ließ die Mundwinkel hängen.

»Aber . . . aber . . .«

»Da kommt Vater! Geh jetzt ins Schlafzimmer und hol mir mein blauseidenes Tuch! Du darfst meinen schwarzen Schal tragen, während ich weg bin – sei also ruhig!«

Rosa zerrte ihrer Mutter den Schal von den Schultern, wickelte ihn sorgfältig um ihre eigenen Schultern und verknotete die beiden Zipfel auf dem Rücken. Denn wenn sie wirklich um halb neun zu Bett gehen mußte, wollte sie wenigstens den Schal umbehalten, dachte sie. Und dieser Entschluß tröstete sie durchaus.

»He, wo sind meine Sachen?« rief Herr Brechenmacher, hängte seine leere Briefträgertasche hinter die Tür und stampfte den Schnee von den Stiefeln. »Nichts ist parat, natürlich, und dabei sind schon alle auf der Hochzeit. Hab' im Vorbeigehen die Musik gehört. Was machst du denn? Bist ja nicht angezogen! So kannst du nicht hingehen!«

»Da sind deine Sachen – alles liegt auf dem Tisch parat, und in der Emailleschüssel ist warmes Wasser. Tauch den Kopf ein! Rosa, gib deinem Vater das Handtuch! Alles ist parat – bis auf die Hose! Ich habe keine Zeit gehabt, sie kürzer zu machen. Du mußt sie halt in die Stiefel stecken, bis wir da sind!«

»Hach«, sagte Herr Brechenmacher, »hier kann man sich ja kaum umdrehen! Und die Lampe brauch' *ich* jetzt! Geh du auf den Flur und zieh dich dort an!«

Sich im Dunkeln anzuziehen war ein Kinderspiel für Frau Brechenmacher. Sie hakte Rock und Taille zu, steckte ihr seidenes Tuch am Hals mit einer schönen Brosche fest, von der vier geweihte Medaillen herunterbaumelten, und nahm dann das Cape mit der Kapuze um.

»He, komm mal und zieh die Schnalle fest!« rief Herr Brechenmacher. Schnaufend stand er in der Küche; die Knöpfe an seiner Uniform blinkten mit einer Begeisterung, wie sie nur amtliche Knöpfe aufweisen können. »Wie seh' ich aus?«

»Großartig«, erwiderte die kleine Frau, zog an der Gürtelschnalle und zupfte hier und da ein bißchen an ihm herum. »Rosa, komm und schau dir deinen Vater an!«

Herr Brechenmacher stolzierte in der Küche auf und ab, ließ sich in den Mantel helfen und wartete dann, bis seine Frau die Laterne angezündet hatte.

»Jetzt also – endlich fertig! Komm schon!«

»Die Lampe, Rosa!« warnte Frau Brechenmacher und ließ die Haustür zuknallen. Den ganzen Tag hatte es geschneit; der Boden war gefroren und glatt wie ein vereister Teich. Sie war seit Wochen nicht mehr aus dem Haus gekommen, und der heutige Tag hatte sie so aufgeregt, daß sie sich ganz verwirrt und blöd vorkam – als hätte Rosa sie aus dem Haus geschubst und als liefe ihr der Mann auf und davon.

»Warte! Warte doch!« rief sie.

»Nein, ich bekomm' sonst nasse Füße! Beeil dich nur!«

Als sie ins Dorf kamen, war es leichter. Da waren Zäune, an denen man sich festhalten konnte, und vom Bahnhof zum Wirtshaus führte ein kleiner Pfad, der für die Hochzeitsgäste mit Asche bestreut worden war.

Das Gasthaus sah sehr festlich aus. Schon von weitem schimmerte Licht aus jedem Fenster, und Kränze von Tannenzweigen hingen vom Gesims. Hohe Zweige schmückten die Haustür, die offenstand, und auf dem Flur verlieh der Wirt seiner Vorrangstellung Ausdruck, indem er die Kellnerinnen herumkommandierte, die ständig mit Biergläsern und Servierbrettern voll Tassen und Untertassen und mit Weinflaschen herumrannten.
»Die Treppe rauf! Die Treppe rauf!« dröhnte die Stimme des Wirts. »Laßt die Mäntel auf dem Korridor!«
Herr Brechenmacher war von dem großartigen Empfang so eingeschüchtert, daß er seine Ehemannsrechte vergaß und seine Frau um Entschuldigung bat, weil er sie im Bemühen, sich allen Leuten vorzudrängen, gegen das Geländer stieß. Herrn Brechenmachers Kollegen begrüßten ihn mit lautem Zuruf, als er den Festsaal betrat, und Frau Brechenmacher rückte ihre Brosche zurecht, faltete die Hände und setzte die würdevolle Miene auf, die sich für sie als Gattin des Briefträgers und Mutter von fünf Kindern schickte. Prachtvoll war der Festsaal! Drei lange Tische waren auf der einen Seite aufgestellt, und der übrige Fußboden war als Tanzfläche frei gemacht. Die Petroleumlampen, die von der Decke hingen, warfen ein warmes, helles Licht auf die mit Papierblumen und Girlanden geschmückten Wände und ein noch wärmeres und helleres Licht auf die roten Gesichter der Gäste in ihren Festtagskleidern.
Am Kopfende des mittleren Tisches saßen Braut und Bräutigam; sie in einem weißen, mit bunten Bändern und Schleifen herausgeputzten Kleid, was ihr das Aussehen einer Torte mit Zuckerguß verlieh, die nur darauf wartet, angeschnitten und in hübschen Portionen dem Bräutigam neben ihr angeboten zu werden, der einen weißen, viel zu weiten Anzug und eine weiße Seidenkrawatte trug, die ihm halbwegs zum Kragen hinaufkroch. Um sie herum waren, mit feiner Berücksichtigung von Rang und Würde, die Eltern und Verwandten gruppiert, und auf einem Kinderstühlchen rechter Hand von der Braut thronte ein kleines Mädchen in einem verdrückten Musselinkleid mit einem Vergißmeinnichtkranz,

der ihm übers Ohr gerutscht war. Alle lachten und plauderten, schüttelten sich die Hand, stießen mit den Gläsern an und stampften über den Boden, und in der Luft hing ein stechender Geruch nach Bier und Schweiß.

Frau Brechenmacher, die nach der Begrüßung des Brautpaares ihrem Mann durch den Saal gefolgt war, wußte, daß sie sich gut unterhalten würde. Sie schien aufzublühen und rosig und warm zu werden, als sie den vertrauten festlichen Geruch einatmete. Jemand zog sie am Rock, und als sie sich umblickte, sah sie Frau Rupp, die Metzgersfrau, die einen leeren Stuhl heranrückte und sie bat, sich neben sie zu setzen.

»Fritz soll Ihnen ein Bier holen«, sagte sie. »Aber wissen Sie, Ihr Rock steht hinten offen. Wir mußten lachen, als Sie in den Saal kamen und das weiße Bändel von Ihrem Unterrock herausblitzte.«

»Wie schrecklich!« rief Frau Brechenmacher, sank auf den Stuhl und biß sich auf die Lippe.

»Na, der Schaden ist schnell kuriert«, sagte Frau Rupp, legte ihre dicken Hände vor sich auf den Tisch und betrachtete ihre drei Witwenringe mit innigem Vergnügen; »man muß halt vorsichtig sein, besonders auf 'ner Hochzeit!«

»Und was für einer!« rief Frau Ledermann, die auf der andern Seite von Frau Brechenmacher saß. »Stellen Sie sich vor, daß die Theresa ihr Kind mitbringt! Es ist nämlich ihr eigenes Kind und soll bei ihnen leben. Das nenne ich also eine Sünde gegen die Kirche, wenn ein lediges Kind bei der Hochzeit von seiner Mutter dabei ist!«

Die drei Frauen saßen da und starrten auf die Braut, die sich sehr still verhielt; nur ein leeres kleines Lächeln spielte um ihren Mund, und die Augen flackerten unsicher von einer Seite auf die andre.

»Sie haben ihm sogar Bier zu trinken gegeben«, flüsterte Frau Rupp, »und Weißwein und Eis. Immer hat's was mit dem Magen gehabt – sie hätten's lieber zu Hause lassen sollen!«

Frau Brechenmacher drehte sich um und beobachtete die Brautmutter. Sie wandte den Blick nicht von ihrer Tochter ab, sondern hatte ihre braune Stirn wie eine alte Affenmutter in Falten gelegt und nickte von Zeit zu Zeit sehr feierlich mit dem Kopf. Ihre Hände zitterten, als sie ihren Bierkrug hob, und nachdem sie getrunken hatte, spuckte sie auf den Boden und wischte sich den Mund heftig mit dem Ärmel ab. Dann spielte die Musik zum Tanz auf. Sie verfolgte Theresa mit den Blicken und beobachtete jeden Mann, der mit ihr tanzte, voller Mißtrauen.

»Immer lustig, Alte!« rief ihr Mann und versetzte ihr einen Rippenstoß. »Es ist ja nicht Theresas Begräbnis!« Er zwinkerte den Gästen zu, die ein lautes Gelächter anstimmten.

»Ich bin lustig«, schalt die alte Frau und schlug mit der Faust auf den Tisch – im Takt mit der Musik, womit sie ihre Festfreude beweisen wollte.

»Sie kann's nicht vergessen, wie wild ihre Theresa immer war«, sagte Frau Ledermann. »Wer kann das auch – mit dem kleinen Kind daneben. Ich habe gehört, daß sich die Theresa letzten Sonntag ganz verrückt angestellt hat und gesagt hat, sie will den Mann nicht heiraten. Sie haben den Pfarrer holen müssen.«

»Wo ist der andre?« fragte Frau Brechenmacher. »Warum hat er sie nicht geheiratet?«

Frau Ledermann zuckte die Achsel.

»Der ist weg – verschwunden! Ein Handelsreisender, der bloß zwei Nächte bei ihnen gewohnt hat. Er hat Hemdknöpfe verkauft – ich hab' selber welche von ihm gekauft, sehr schöne Hemdknöpfe waren's – aber so ein gemeiner Kerl! Ich kann mir nicht erklären, was er an so einem simplen Mädchen gefunden hat – aber man weiß ja nie. Ihre Mutter sagt, daß sie seit ihrem sechzehnten Jahr nicht zu bändigen war!«

Frau Brechenmacher senkte den Blick auf ihr Bier und blies ein kleines Loch in den Schaum.

»Das ist keine Hochzeit, wie sie sein soll«, sagte sie. »Zwei Männer lieben ist gegen die Religion.«

»Mit dem da kann sie was erleben!« rief Frau Rupp. »Im vorigen Sommer hat er bei mir gewohnt, bis ich ihn rauswerfen mußte. In zwei Monaten hat er nicht ein einziges Mal seine Wäsche gewechselt, und als ich ihn wegen dem Gestank in seinem Zimmer gestellt habe, hat er geantwortet, das käme bestimmt vom Laden rauf. Aber jede Frau hat ihr Kreuz – stimmt's etwa nicht?«

Frau Brechenmacher sah zu ihrem Mann hinüber, der am nächsten Tisch bei seinen Kollegen saß. Sie wußte, daß er zuviel trank – er fuchtelte mit den Armen, und beim Sprechen sprühte ihm die Spucke von den Lippen.

»Ja«, bestätigte sie, »das stimmt! Mädchen müssen allerhand lernen!«

Sie saß eingezwängt zwischen den beiden dicken alten Frauen und durfte nicht hoffen, daß jemand sie zum Tanz aufforderte. Sie sah, wie die Paare sich herumdrehten, und vergaß ihre fünf Kinder und ihren Mann und kam sich fast wieder wie ein junges Mädchen vor. Die Musik klang traurig und lieblich. Ihre rauhen Hände verschränkten und öffneten sich in den Falten ihres weiten Rockes. Während die Musik weiterspielte, lächelte sie mit einem nervösen kleinen Zittern um den Mund und wagte nicht, jemand ins Gesicht zu blicken.

»Großer Gott«, rief Frau Rupp, »jetzt haben die Theresas Kind doch wahrhaftig ein Stück Wurst gegeben, damit sie Ruhe hält! Denn jetzt kommt das Überreichen – und Ihr Mann muß die Rede halten!«

Frau Brechenmacher setzte sich kerzengerade hin. Die Musik brach ab, und die Tanzenden nahmen ihre Plätze an den Tischen wieder ein.

Nur Herr Brechenmacher stand – mit beiden Händen hielt er eine große silberne Kaffeekanne hoch. Jeder lachte über seine Rede, nur nicht seine Frau; jeder brüllte vor Lachen über seine Grimassen und über die Art, wie er die Kaffeekanne zum Brautpaar trug: als wäre es ein Baby, das er im Arm hielt.

Die Braut hob den Deckel an, schaute hinein, schrie kurz auf und ließ ihn wieder zufallen. Dann saß sie da und biß sich auf die Lippe. Der Bräutigam riß ihr die Kanne aus der Hand und zog eine Milchflasche und zwei kleine Wiegen mit Porzellanpüppchen hervor. Als er die Schätze vor Theresa hin- und herschwenkte, bog sich der ganze Saal vor Lachen.

Frau Brechenmacher fand es nicht komisch. Sie blickte auf

die lachenden Gesichter, und plötzlich kamen sie ihr alle fremd vor. Sie wollte am liebsten nach Hause gehen und nie wiederkommen. Sie bildete sich ein, daß all die Leute sie auslachten, sogar noch mehr Leute als die im Saal anwesenden – alle lachten sie aus, weil sie soviel stärker waren als sie.

Schweigend gingen sie nach Hause. Herr Brechenmacher stolzierte vornweg, und sie stolperte hinter ihm her. Die Straße vom Bahnhof bis zu ihrem Haus lag weiß und öde da – ein kalter Windstoß blies ihr die Kapuze vom Kopf, und plötzlich fiel ihr ein, wie sie in ihrer ersten Nacht zusammen nach Hause gegangen waren. Jetzt hatten sie fünf Kinder und doppelt soviel Geld, *aber* ...

»Und wofür das alles?« murrte sie. Erst als sie zu Hause war und für ihren Mann einen kleinen Imbiß mit Fleisch und Brot vorbereitet hatte, hörte sie auf, sich diese dumme Frage zu wiederholen.

Herr Brechenmacher spießte Brotstückchen auf seine Gabel, wischte den Teller aus und kaute gierig.

»Schmeckt's?« fragte sie, legte die Arme auf den Tisch und ließ die Brüste darauf ruhen.

»Und wie!« sagte er.

Er nahm ein Stück weiche Krume, wischte rund um den Tellerrand und hielt ihr den Bissen hin. Sie schüttelte den Kopf.

»Bin nicht hungrig«, sagte sie.

»Es ist aber der beste Bissen, ganz voll Soße«, sagte er.

Er aß den Teller leer; dann zog er seine Stiefel aus und warf sie in die Ecke.

»Keine feine Hochzeit«, sagte er, streckte die Füße aus und wackelte mit den Zehen in den dicken Wollsocken.

»N-nein, nicht gerade«, erwiderte sie, hob die weggeworfenen Stiefel auf und stellte sie zum Trocknen vor den Herd.

Herr Brechenmacher gähnte und reckte sich, und dann sah er grinsend zu ihr auf.

»Weißt du noch die Nacht, als wir beide heimkamen? Du warst ein Unschuldsengel!«

»Hör schon auf! Ist so lange her, daß ich's vergessen habe!«

Doch sie konnte sich gut erinnern.

»Was du mir für 'ne Ohrfeige gegeben hast! . . . Aber ich hab's dir gezeigt!«

»Ach, fang nicht an zu schwatzen! Du hast zuviel Bier getrunken! Komm ins Bett!«

Er kappelte mit seinem Stuhl und kicherte sich eins.

»Das hast du in der ersten Nacht nicht zu mir gesagt! Mein Himmel, was hab' ich mich anstrengen müssen!«

Aber die kleine Frau nahm die Kerze und ging ins Zimmer nebenan. Die Kinder schliefen alle fest. Sie befühlte die Matratze vom Bett des Kleinsten, um zu sehen, ob er noch trokken war; dann begann sie, Bluse und Rock aufzuhaken.

»'s ist immer gleich«, sagte sie. »Überall in der weiten Welt ist's gleich – du lieber Gott – wie blöd!«

Dann verblaßte auch die Erinnerung an die Hochzeit. Sie sank aufs Bett, und wie ein Kind, das darauf gefaßt ist, daß man ihm weh tut, legte sie den Arm übers Gesicht – und Herr Brechenmacher kam hereingetaumelt.

— — — — — — — — — — — — — — —

»Guten Abend«, sagte der Herr Professor und drückte mir die Hand, »herrliches Wetter! Ich komme gerade aus dem Wald, wo ich einer kleinen Zuhörerschar auf meiner Posaune etwas vormusiziert habe. Die Tannen liefern nämlich eine sehr passende Begleitung für eine Posaune. Sie seufzen Sanftmut angesichts der verhaltenen Kraft, wie ich einst in Frankfurt bei einem Vortrag über Blasinstrumente bemerkte. Darf ich mir erlauben, neben Ihnen auf der Bank Platz zu nehmen, gnädige Frau?«
Er setzte sich und zog eine weiße Tüte aus der rückwärtigen Tasche seines Gehrocks.
»Kirschen«, sagte er und nickte lächelnd. »Es geht nichts über Kirschen, will man nach dem Posauneblasen Speichel erzeugen, besonders nach Griegs ›Ich liebe dich‹. Die verhaltenen Posaunenstöße für ›liebe‹ machen mir die Kehle so trocken wie ein Eisenbahntunnel. Möchten Sie?« Er bot mir die geöffnete Tüte an.
»Ich möchte lieber zuschauen, wie Sie sie essen.«
»Aha!« Er schlug die Beine übereinander und klemmte die Kirschtüte zwischen die Knie, was ihm beide Hände frei ließ. »Ihre Ablehnung ist mir aus psychologischer Sicht verständlich. Mit Ihrem angeborenen weiblichen Zartgefühl bevorzugen Sie ätherische Empfindungen ... Oder vielleicht lieben Sie es nicht, Würmer zu essen? Alle Kirschen enthalten Würmer. An der Universität habe ich einmal mit einem Kollegen ein hochinteressantes Experiment gemacht, Wir haben in vier Pfund der besten Kirschen gebissen und kein einziges Exemplar ohne einen Wurm gefunden. Aber was wollen Sie? Wie ich hinterher zu ihm bemerkte: ›Lieber Freund, es läuft darauf hinaus: wenn man die Wünsche der eigenen Natur befriedigen möchte, muß man stark genug sein, die Gegebenheiten der NATUR zu ignorieren ...‹ Hoffentlich übersteigt es Ihr Begriffsvermögen nicht? Ich vergesse es leicht, weil ich so selten Zeit oder Gelegenheit habe, meine Gedanken vor einer Frau zu äußern.«

Ich blickte ihn mit gescheiter Miene an.
»Da sehen Sie mal, was für eine Dicke!« rief der Herr Professor. »Die ist fast schon an sich ein Mundvoll! Sie ist schön genug, um an einer Uhrkette zu hängen.« Er zerkaute sie und spuckte den Stein unglaublich weit weg: bis ins Blumenbeet jenseits des Gartenwegs. Er war stolz auf die Leistung. Ich sah es ihm an. »Was für riesige Mengen an Obst ich auf dieser Bank gegessen habe!« seufzte er. »Aprikosen, Pfirsiche und Kirschen! Eines Tages wird aus dem Blumenbeet ein Obstgarten werden, und dann erlaube ich Ihnen, soviel davon zu pflücken, wie Sie mögen, ohne mir etwas dafür zu bezahlen.«
Ich war dankbar, ohne übermäßige Begeisterung zu zeigen.
»Und das erinnert mich daran« — er klopfte sich mit dem Finger an die Nase—, »daß mir der Geschäftsführer der Pension heute nach dem Mittagessen meine Wochenrechnung übergab. Es ist fast nicht zu glauben. Ich erwarte auch nicht, daß Sie mir glauben: er hat mir ein erbärmliches Gläschen Milch berechnet, das ich abends im Bett gegen meine Schlaflosigkeit trinke. Natürlich habe ich es nicht bezahlt. Doch was das Tragische an der Sache ist: ich kann nicht mehr erwarten, daß die Milch mich schläfrig macht. Meine friedliche Einstellung zur Milch ist völlig zunichte geworden. Ich weiß, daß ich mich beim Versuch, diesen Mangel an Freigebigkeit bei einem so wohlhabenden Mann wie dem Geschäftsführer einer Pension zu ergründen, in ein Fieber hineinsteigern werde. Denken Sie heute nacht an mich« (er zerknautschte die leere Tüte unter seinem Absatz), »denken Sie, daß mir das Schlimmste widerfährt, während Ihr Kopf auf dem Kissen in Schlaf sinkt.«
Zwei Damen traten auf die Außentreppe der Pension und standen Arm in Arm da, auf den Garten blickend. Die eine war alt und hager; ihr seidenes Ridikül war fast gänzlich mit Posamenten aus schwarzen Perlchen bedeckt; die andere, jung und mager, trug ein weißes Abendkleid, und ihr Haar war geschmackvoll mit lila Wicken geschmückt.
Der Professor nahm seine Füße an sich, richtete sich plötzlich auf und zog seine Weste herunter.

»Die Godowskas«, murmelte er. »Kennen Sie sie? Mutter und Tochter aus Wien. Die Mutter hat ein inneres Leiden, und die Tochter ist Schauspielerin. Fräulein Sonia ist eine sehr moderne Seele. Ich glaube, Sie werden sie äußerst sympathisch finden. Eben jetzt sieht sie sich gezwungen, ihrer Mutter Gesellschaft zu leisten. Aber was für ein Temperament! In ihrem Autogrammalbum habe ich sie einmal als eine Tigerin mit Blüten im Haar bezeichnet. Würden Sie mich bitte entschuldigen? Vielleicht kann ich sie überreden, sie mit Ihnen bekannt zu machen.«

»Ich gehe in mein Zimmer«, sagte ich. Aber der Professor stand auf und drohte mir neckisch mit dem Finger. »Na«, sagte er, »wir sind ja Freunde, deshalb kann ich ganz offen sprechen: ich glaube, die Damen würden es ein wenig auffällig finden, wenn Sie sich sogleich nach ihrem Erscheinen in Ihr Zimmer zurückziehen würden, nachdem Sie hier allein mit mir im Zwielicht gesessen haben. Sie kennen diese Welt. Ja, Sie kennen sie genauso wie ich!«

Ich zuckte die Achsel und bemerkte mit halbem Blick, daß die Godowskas, während der Professor mit mir gesprochen hatte, über den Rasen näher gekommen waren. Als der Herr Professor aufstand, traten sie zu ihm.

»Guten Abend!« brachte Frau Godowska zitternd hervor. »Herrliches Wetter! Ich habe sofort einen Anfall von Heufieber bekommen.« Fräulein Godowska sagte nichts. Sie neigte sich über eine Rose, die in dem Embryoobstgarten wuchs, und dann reichte sie dem Herrn Professor mit einer prachtvollen Geste die Hand. Er stellte mich vor.

»Das ist meine kleine englische Freundin, von der ich Ihnen erzählt habe. Sie ist ein Fremdling in unserer Mitte. Wir haben zusammen Kirschen gegessen.«

»Wie reizend!« seufzte Frau Godowska. »Meine Tochter und ich haben Sie oft durchs Schlafzimmerfenster beobachtet, nicht wahr, Sonia?«

Sonia nahm meine äußere und sichtbare Erscheinung mit einem innerlichen und geistigen Blick in sich auf und wiederholte dann ihre prachtvolle Geste, damit auch ich etwas davon haben möge. Zu viert saßen wir auf der Bank und spür-

ten die leichte Gespanntheit von in einem Abteil sitzenden Reisenden, die auf das Pfeifen der Lokomotive warten. Frau Godowska nieste. »Ich frage mich, ob es Heufieber ist«, bemerkte sie und wühlte in ihrem Ridikül nach einem Taschentuch – »oder ob es der Tau ist? Sonia, mein Kind, fällt der Tau schon?«
Mit halbgeschlossenen Augen hob Fräulein Sonia das Gesicht nach oben. »Nein, Mama, mein Gesicht ist ganz warm.– Oh, sehen Sie doch, Herr Professor, die Schwalben fliegen! Sie sind wie ein kleiner Schwarm japanischer Gedanken, nicht wahr?«
»Wo? O ja, ich sehe sie – um den Küchenschornstein«, rief der Herr Professor. »Aber warum japanisch? Könnten Sie sie nicht mit einem kleinen Schwarm deutscher Gedanken vergleichen?«
Er wandte sich mir zu: »Gibt es in England Schwalben?«
»Ich glaube, ja, zu gewissen Jahreszeiten. Aber bestimmt haben Sie für die Engländer nicht den gleichen symbolischen Wert. In Deutschland ...«
»Ich bin noch nie in England gewesen«, unterbrach mich Fräulein Sonia, »aber ich habe viele englische Bekannte. Wie kalt sie sind!« Sie schauerte zusammen.
»Fischblütig!« tadelte Frau Godowska. »Ohne Seele, ohne Herz, ohne Charme! Aber ihre Kleiderstoffe sind unübertrefflich. Vor zwanzig Jahren verbrachte ich eine Woche in Brighton, und der Reiseumhang, den ich dort kaufte, ist noch nicht abgenutzt – es ist der Stoff, in den du immer die Wärmflasche einwickelst, Sonia. Mein tiefbetrauerter Mann – dein Vater, Sonia – wußte sehr viel über England. Doch je mehr er wußte, desto häufiger bemerkte er zu mir: ›England ist nichts als eine Insel Rindfleisch, die in einem warmen Golfstrom aus Soße schwimmt.‹ Eine so geistreiche Art, sich auszudrücken! Erinnerst du dich, Sonia?«
»Ich vergesse nichts, Mama.«
Darauf der Herr Professor: »Das ist eine Bestätigung Ihres Berufs, gnädiges Fräulein. Doch ich frage mich – und das ist eine sehr interessante Überlegung: Ist ein gutes Gedächtnis ein Segen oder – verzeihen Sie das Wort – ein Fluch?«

Frau Godowska blickte in die Ferne, dann senkten sich ihre Mundwinkel, und ihre Gesichtshaut zerbröckelte. Sie begann Tränen zu vergießen.
»Ach Gott! Gnädige Frau, was habe ich gesagt?« rief der Herr Professor.
Sonia nahm die Hand ihrer Mutter. »Denk dir, heute abend gibt es gekochte Mohrrüben und Nußtorte zum Abendessen. Wollen wir nicht hineingehen und unsre Plätze einnehmen?« fragte sie, während sie dem Professor und mir einen halben Blick zuwarf, der tragisch und vorwurfsvoll war.
Ich folgte ihnen über den Rasen und die Treppe hinauf. Frau Godowska murmelte: »So ein wundervoller Mann, und so geliebt!«, während Fräulein Godowska mit ihrer freien Hand ihr Wickengesteck zurechtrückte.

›Um acht Uhr dreißig findet im Salon ein Konzert zum Besten behinderter katholischer Kinder statt. Die Künstler sind: Fräulein Sonia Godowska aus Wien, Herr Professor Windberg mit seiner Posaune, Frau Oberlehrer Weidel und andere.‹
Die Mitteilung war dem trübsinnigen Hirschkopf im Eßzimmer um den Hals gebunden. Bereits seit Tagen vor dem Ereignis schmückte sie ihn wie ein rotweißes Eßlätzchen, was den Herrn Professor veranlaßte, sich vor ihm zu verbeugen und ihm guten Appetit zu wünschen, bis uns sein Scherz anödete und wir das Lächeln dem Kellner überließen, der ja dafür bezahlt wurde, nett zu den Gästen zu sein.
Am festgesetzten Tag segelten in der Pension die verheirateten Damen in einer Aufmachung wie Polstersessel einher, während die unverheirateten Damen Kleider wie drapierte Frisiertischgarnituren aus Musselin trugen. Frau Godowska befestigte eine Rose auf ihrem Ridikül, eine zweite Blüte steckte im Faltengewirr eines weißen Schonerdeckchens, das sie sich über den Busen geworfen hatte. Die Herren trugen schwarze Röcke, weiße Seidenkrawatten und Knopflochsträuße aus Farnrispen, die das Kinn kitzelten.
Der Fußboden im Salon war frisch gebohnert, Stühle und Bänke standen in Reih und Glied, und eine Anzahl kleiner

Fähnchen hing an Schnüren unter der Decke und flatterte und hüpfte mit aller Begeisterung eines Familienwaschtags im Durchzug. Es war abgemacht worden, daß ich neben Frau Godowska sitzen solle und daß der Herr Professor und Sonia sich zu uns gesellen würden, wenn sie ihren Beitrag zum Konzert geleistet hatten.

»Damit werden Sie sich beinah als eine der Mitwirkenden fühlen«, sagte der Herr Professor liebenswürdigerweise. »Es ist sehr schade, daß die englische Nation so unmusikalisch ist. Aber lassen Sie nur! Heute abend werden Sie etwas zu hören bekommen – wir haben während der Proben ein Nest an Talenten entdeckt!«

»Was werden Sie vortragen, Fräulein Sonia?«

Sie warf ihre Haare in den Nacken. »Ich weiß es immer erst im letzten Augenblick. Wenn ich auf die Bühne gehe, warte ich einen Moment, und dann habe ich ein Gefühl, als schlüge mir etwas hierhin« (sie legte die Hand auf ihre Busennadel), »und die Worte kommen!«

»Bück dich eine Sekunde!« flüsterte ihre Mutter. »Sonia, mein Kind, die Sicherheitsnadel an deinem Rock hinten schaut heraus! Soll ich mit dir auf den Flur gehen und sie besser festmachen, oder willst du es selbst tun?«

»Oh, Mama, bitte, sag nicht solche Sachen!« Sonia errötete und wurde sehr zornig. »Du weißt, wie empfindlich ich bei solchen Anlässen gegen den kleinsten unangenehmen Eindruck bin ... Ich hätte es lieber, daß der Rock mir vom Leibe rutscht!«

»Sonia – mein Herz!« Ein Glöckchen klingelte.

Der Kellner kam und öffnete den Flügel. Vor lauter Eifer und Aufregung vergaß er völlig, was geboten war, und wischte mit der schmierigen Serviette, die er über dem Arm trug, die Tasten ab. Die Frau Oberlehrer trippelte aufs Podium, hinter ihr ein sehr junger Herr, der sich zweimal die Nase putzte, ehe er sein Taschentuch in die Tiefen des Flügels schleuderte.

»Ich weiß es wohl, du liebst mich nicht,
du sagst nicht: bleib mir treu!
Du gehst von mir und liebst mich nicht«,

sang die Frau Oberlehrer mit einer Stimme, die aus ihrem vergessenen Fingerhut hervorzudringen und sie nichts anzugehen schien.
»Oh, wie reizend, wie fein empfunden!« riefen wir und klatschten tröstend in die Hände. Sie verneigte sich, als wollte sie sagen: ›Ja, nicht wahr?‹, und trat ab, während der junge Herr rasch und finsteren Blicks ihrer Schleppe auswich.
Der Flügel wurde geschlossen, ein Sessel wurde in die Mitte des Podiums gestellt. Fräulein Sonia schwebte darauf zu. Eine atemlose Stille entstand. Dann schlug vermutlich der geflügelte Pfeil gegen ihre Busennadel. Sie flehte uns an, nicht in Schleppgewändern, sondern lieber leicht geschürzt in den Wald zu gehen und mit ihr auf Tannennadeln zu ruhen. Ihre laute, etwas heisere Stimme füllte den Salon. Sie ließ ihre Arme über die Lehne hängen und bewegte die mageren Hände vom Handgelenk aus. Wir waren hingerissen und stumm. Der neben mir sitzende Herr Professor war ungewöhnlich ernst und zupfte mit hervorquellenden Augen an seinen Schnurrbartspitzen. Frau Godowska nahm die übliche, besonders distanzierte Haltung der stolzen Mutter an. Der einzige Mensch, der von Sonias Bitte ungerührt blieb, war der Kellner, der sich faul an die Wand des Salons lehnte und mit dem Rand des Programms seine Fingernägel reinigte. Er war nicht im Dienst und beabsichtigte, es zu zeigen.
»Was habe ich gesagt?« schrie der Herr Professor unter dem Deckmantel des tosenden Beifalls, »Tem-pe-ra-ment! Da haben Sie's! Sie ist die Flamme im Herzen einer Lilie! Ich weiß, daß ich gut spielen werde. Ich bin an der Reihe. Ich fühle mich inspiriert!«, und als Fräulein Sonia, bleich und in einen langen Schal gehüllt, wieder zu uns kam, rief er: »Sie sind meine Inspiration! Heute abend werden Sie die Seele meiner Posaune sein! Warten Sie nur ab!«
Rechts und links von uns beugten sich die Leute vor und tuschelten Fräulein Sonias Nacken ihre Bewunderung zu. Sie verneigte sich würdevoll, nach altem Stil.
»Ich habe stets Erfolg«, sagte sie zu mir. »Wenn ich spiele, bin ich nämlich ich selbst. Als ich in Wien in Ibsens Stücken auftrat, bekam ich so viele Sträuße, daß drei bei der Köchin

in der Küche stehen mußten. Aber hier ist es schwierig. Hier ist sowenig Atmosphäre. Empfinden Sie es nicht auch? Hier ist nichts von dem geheimnisvollen Duft, der fast sichtbar aus den Seelen der Wiener Zuhörer emporschwebt. Wenn ich das entbehren muß, verschmachtet mein Gemüt.« Sie beugte sich vor und stützte das Kinn in die Hand. »Es verschmachtet«, wiederholte sie.

Der Professor erschien mit seiner Posaune, blies hinein, hielt sie an das eine Auge, zupfte seine Manschetten zurück – und dann suhlte er sich in der Seele Sonia Godowskas. Er rief eine derartige Sensation hervor, daß man ihn zurückrief, damit er einen bayerischen Tanz spiele; er gestand, daß es eher eine Atemübung als eine künstlerische Leistung sei. Frau Godowska schlug mit ihrem Fächer den Takt.

Darauf folgte der sehr junge Herr, der mit Tenorstimme quiekte, daß er jemanden liebe, und zwar ›mit Blut im Herzen und tausend Schmerzen‹. Fräulein Sonia führte unter Zuhilfenahme des Pillenfläschchens ihrer Mutter eine Vergiftungsszene vor, wobei der Lehnstuhl gegen eine Chaiselongue ausgetauscht wurde; ein junges Mädchen kratzte auf einer jungen Fiedel ein Wiegenlied; und der Herr Professor vollzog das letzte Opferritual auf dem Altar der behinderten Kinder, indem er die Nationalhymne spielte.

»Jetzt muß ich Mama zu Bett bringen«, flüsterte Fräulein Sonia. »Doch nachher muß ich spazierengehen. Es ist unerläßlich, daß ich mein Gemüt einen Augenblick im Freien auslüfte. Wollen Sie mich begleiten – bis zum Bahnhof und zurück?«

»Sehr gern; klopfen Sie dann an meine Tür, sobald Sie bereit sind.«

So kam es, daß die moderne Seele und ich unter dem Sternenhimmel einherwandelten.

»Was für eine Nacht!« sagte sie. »Kennen Sie das Gedicht von Sappho – von ihren Händen in den Sternen? ... Ich bin merkwürdig sapphisch. Und was so erstaunlich ist: ich bin nicht nur sapphisch, sondern ich entdecke in allen Werken aller großen Schriftsteller, besonders in ihren unveröffentlichten Briefen, einen Hauch, eine Spur von mir selbst –

eine Ähnlichkeit, einen Teil meiner selbst, wie etwa tausend Widerspiegelungen meiner Hände in einem dunklen Spiegel.«
»Das ist aber lästig«, sagte ich.
»Ich weiß nicht, was Sie unter ›lästig‹ verstehen – es ist eher der Fluch meines Genies . . .« Sie verstummte plötzlich und starrte mich an. »Ist Ihnen meine Tragödie bekannt?« fragte sie.
Ich schüttelte den Kopf.
»Meine Tragödie ist meine Mutter. Indem ich mit ihr lebe, lebe ich mit dem Sarg meiner ungeborenen Wünsche. Sie haben die Sache mit der Sicherheitsnadel mit angehört. Ihnen mag es wie eine Kleinigkeit vorkommen, doch wurden dadurch meine drei ersten Gesten beeinträchtigt. Sie waren . . .«
». . . aufgespießt auf einer Sicherheitsnadel«, sagte ich.
»Ja, genau das! Und wenn wir in Wien sind, bin ich Stimmungen unverworfen, verstehen Sie? Ich sehne mich danach, etwas Wildes, Leidenschaftliches zu tun. Doch Mama sagt: ›Bitte zähl mir zuerst meine Tropfen ab!‹ Ich erinnere mich, daß ich einmal in einem Wutanfall einen Wasserkrug vom Waschständer nahm und aus dem Fenster warf. Wissen Sie, was Mama sagte? ›Sonia, ich bin nicht so sehr dagegen, daß du Gegenstände aus dem Fenster wirfst, wenn du nur . . .‹«
» . . . etwas Kleineres nehmen würdest?« fragte ich.
»Nein! . . . ›Wenn du mir nur vorher Bescheid geben würdest!‹ Demütigend ist es! Und ich sehe kein Licht, das mich aus dieser Finsternis führen könnte!«
»Warum treten Sie nicht einer Wandertruppe bei und lassen Ihre Mutter in Wien?«
»Was? Ich sollte meine arme, kleine, kranke, verwitwete Mutter allein in Wien lassen? Eher würde ich mich ins Wasser stürzen. Ich liebe meine Mutter, wie ich niemanden sonst in der Welt liebe – niemanden und nichts! Halten Sie es für unmöglich, die eigene Tragödie zu lieben? ›Aus meinen großen Schmerzen mach' ich die kleinen Lieder‹ – das ist Heine, das bin ich.«
»Oh, dann ist's ja gut!« sagte ich fröhlich.

»Es ist aber gar nicht gut!«

Ich schlug vor, umzukehren. Wir kehrten um.

»Manchmal denke ich, die Lösung könnte in einer Heirat liegen«, sagte Fräulein Sonia. »Falls ich einen einfachen, friedlichen Mann fände, der mich anbetet und für Mama sorgt – ein Mann, der für mich ein Kissen wäre, denn ein Genie darf nicht hoffen, sich zu paaren –, dann würde ich ihn heiraten. Der Herr Professor hat mir übrigens sehr deutlich den Hof gemacht.«

»Oh, Fräulein Sonia«, sagte ich sehr zufrieden über mich selbst, »warum verheiraten Sie ihn nicht mit Ihrer Mutter?«

Wir kamen gerade am Friseurgeschäft vorbei. Fräulein Sonia umklammerte meinen Arm.

»Sie! Sie!« stammelte sie. »Was für eine Grausamkeit! Ich werde ohnmächtig! Mama sollte sich wiederverheiraten, bevor ich heirate – was für eine Beleidigung! Ich werde ohnmächtig, jetzt sofort!«

Ich erschrak. »Das geht nicht!« sagte ich und schüttelte sie. »Kommen Sie mit in die Pension, dort können Sie ohnmächtig werden, soviel Sie wollen! Aber hier können Sie nicht ohnmächtig werden! Alle Geschäfte sind geschlossen. Kein Mensch ist in der Nähe. Bitte seien Sie nicht so töricht!«

»Hier – und nur hier!« Sie zeigte auf die genaue Stelle, ließ sich wunderschön fallen und blieb reglos liegen.

»Also meinetwegen werden Sie ohnmächtig«, sagte ich, »aber bitte, machen Sie schnell!«

Sie regte sich nicht. Ich machte mich auf den Heimweg, und jedesmal, wenn ich zurückblickte, sah ich die Moderne Seele in dunklen Umrissen in voller Länge vor dem Schaufenster des Friseurs liegen. Schließlich rannte ich los und stöberte den Herrn Professor in seinem Zimmer auf.

»Fräulein Sonia ist in Ohnmacht gefallen«, sagte ich verdrießlich.

»Du lieber Gott! Wo? Wie?«

»Draußen vor dem Friseurgeschäft in der Bahnhofstraße.«

»Jesus und Maria – hat sie kein Wasser bei sich« – er packte seine Karaffe –, »niemanden?«

»Nichts!«

»Wo ist meine Jacke? Einerlei – ich werde mir die Brust verkühlen. Aber mit Freuden ziehe ich mir eine Erkältung zu ... Sind Sie bereit, mitzukommen?«
»Nein«, sagte ich. »Sie können den Kellner mitnehmen.«
»Aber sie braucht eine Frau. Es wäre sehr ungebührlich, wollte ich versuchen, ihr Korsett zu öffnen!«
»Moderne Seelen sollten kein Korsett tragen«, sagte ich. Er drängte an mir vorbei und polterte die Treppe hinab.

Als ich am nächsten Morgen zum Frühstück hinunterging, waren zwei Plätze am Tisch nicht besetzt. Fräulein Sonia und der Herr Professor hatten einen Tagesausflug in den Wald unternommen.
Ich hatte so meine Gedanken.

Sabina fand das Leben bestimmt nicht langweilig. Vom frühen Morgen bis spät in die Nacht hinein war sie im Trab. Um fünf Uhr taumelte sie aus dem Bett, knöpfte ihre Kleider zu – sie trug eine langärmelige Alpakaschürze über ihrem schwarzen Kleid – und tastete sich die Treppe hinunter in die Küche.
Die Köchin Anna war im Laufe des Sommers so dick geworden, daß sie ihr Bett genoß, weil sie dann nicht ihr Korsett tragen mußte, sondern sich, soviel sie nur wollte, ausstrecken und auf der wunderbaren Matratze herumwälzen konnte, wobei sie Jesus und der Jungfrau Maria und dem heiligen Antonius persönlich anvertraute, daß ihr Leben sich selbst für eine Sau im Keller nicht gezieme.
Sabina war neu auf dem Posten. Ihre Wangen waren noch rosig; neben dem linken Mundwinkel hatte sie ein Grübchen, das plötzlich, selbst wenn sie sehr ernst und sehr nachdenklich tat, hervorhuschte und sie verriet. Und Anna war dankbar für Sabinas Grübchen. Es bedeutete, daß Anna eine halbe Stunde länger im Bett bleiben konnte und daß Sabina in der Küche Feuer machte und fegte und unzählige Tassen und Untertassen abwusch, die vom Abend vorher stehengeblieben waren. Hans, der Spülküchenbursche, kam nicht vor sieben. Er war der Sohn eines Metzgers – ein mickeriger, zu kurz geratener Junge, der sehr viel Ähnlichkeit mit seines Vaters Würsten hatte, wie Sabina fand. Sein rotes Gesicht war mit Pickeln übersät, und seine Nägel waren unbeschreiblich schmutzig. Als ihm sogar von Herrn Lehmann geraten wurde, sich eine Haarnadel zu beschaffen und die Nägel zu reinigen, entgegnete Hans, sie seien von Geburt so verfleckt, weil seine Mutter immer Tintenfinger bekam, wenn sie die Abrechnung machte – und Sabina glaubte ihm und hatte Mitleid mit ihm.
Der Winter hatte sich sehr früh in Mindelbau eingestellt. Gegen Ende Oktober waren die Straßen schon bis auf Gürtelhöhe von Schneemauern besäumt, und die meisten Kur-

gäste, denen Kräuter- und Kaltwasserkuren zum Halse heraushingen, waren alles andere als friedlich abgereist. Daher wurde bei Lehmanns der große Salon geschlossen, und das Frühstückszimmer war der einzige Aufenthaltsraum, den das Café zu bieten hatte. Hier mußte der Fußboden geschrubbt, mußten die Tische abgewaschen und die Kaffeetassen hingestellt werden – jede mit einem kleinen Zuckernapf aus Porzellan –, und die Zeitungen und Zeitschriften mußten längs der Wände an ihren Haken hängen, bevor Herr Lehmann um halb acht erschien und das Geschäft öffnete.

In der Regel bediente seine Frau im Laden, der sich ans Café anschloß, doch sie hatte sich die stille Saison ausgesucht, um ein Baby zu bekommen, und sie, die selbst in ihrer besten Zeit eine üppige Frau gewesen, war durch die Schwangerschaft so ungeheuer in die Breite gegangen, daß ihr Mann ihr gesagt hatte, sie sähe unappetitlich aus und solle lieber im oberen Stock bleiben und nähen.

Sabina erledigte die Mehrarbeit ohne den leisesten Gedanken an mehr Lohn. Sie liebte es, hinter dem Ladentisch zu stehen und Scheiben von Annas köstlichem Schokoladenkuchen abzuschneiden oder Zuckermandeln in rosa und blau gestreifte Tüten abzufüllen.

»Du wirst noch Krampfadern bekommen«, sagte Anna, »wie ich! Die Frau hat auch welche. Kein Wunder, daß das Baby noch nicht da ist! Alles Dickerwerden geht ihr gleich in die Beine!« Und Hans fand es mächtig interessant.

Am Vormittag war das Geschäft vergleichsweise ruhig. Sabina war da, wenn die Ladenglocke ging, sie bediente die paar Kunden, die einen Likör tranken, um sich vor dem Mittagessen den Magen zu wärmen, und sie rannte dann und wann nach oben, um die Frau zu fragen, ob sie etwas brauche. Doch am Nachmittag spielten sechs oder sieben erlauchte Geister Karten, und jeder, der jemand war, trank Tee oder Kaffee.

»Sabina . . . Sabina . . .«

Sie flog von einem Tisch zum andern, zählte Hände voll Kleingeld hin, gab Anna durch das Schiebetürchen Bestellungen auf, half den Männern in ihre schweren Mäntel –

und immer mit dem gleichen zauberhaft kindlichen Wesen und dem entzückenden Eindruck, als mache sie unablässig bei einem Fest mit.

»Wie geht's Frau Lehmann?« flüsterten die Frauen wohl.

»Sie fühlt sich ziemlich matt, aber nicht schlimmer, als man's erwarten kann«, gab Sabina dann zur Antwort und nickte vertraulich.

Frau Lehmanns schwere Stunde rückte näher. Anna und ihre Freundinnen bezeichneten es als ihre ›Romreise‹, und Sabina hätte gar zu gern Fragen gestellt, doch da sie sich ihrer Unwissenheit schämte, schwieg sie und versuchte, es allein zu enträtseln. Sie wußte so gut wie nichts, außer, daß die Frau ein Baby in sich hatte, das herauskommen mußte – was bestimmt sehr schmerzhaft war. Man konnte keins haben ohne einen Mann – auch das hatte sie begriffen. Aber was hatte der Mann damit zu tun? Darüber sann sie nach, wenn sie abends Handtücher flickte – den Kopf über die Arbeit geneigt, das Licht über ihre braunen Locken spielend. Geburt – was war das? grübelte Sabina. Tod – das war etwas Einfaches. Sie hatte ein kleines Bild von ihrer in schwarze Seide gekleideten Großmutter – müde Hände, die das Kuzifix umklammerten, das zwischen den schlaffen Brüsten lag, der Mund merkwürdig verkniffen und doch fast verstohlen lächelnd. Aber auch die Großmutter wurde einst geboren – das war die bedeutsame Tatsache.

Als sie eines Abends da saß und grübelte, trat der ›Junge Mann‹ ins Café und verlangte ein Glas Portwein. Sabina erhob sich langsam. Vom langen Tag und dem warmen Zimmer fühlte sie sich etwas lässig, doch als sie den Portwein einschenkte und die Augen des Jungen Mannes auf sich ruhen fühlte, blickte sie auf ihn nieder und zeigte ihre Grübchen.

»'s ist kalt draußen«, sagte sie und verkorkte die Flasche.

Der Junge Mann fuhr sich mit der Hand durch das schneegepuderte Haar und lachte.

»Ich würde es auch nicht gerade tropisch warm nennen«, sagte er. »Aber hier drin haben Sie's sehr gemütlich – Sie sehen aus, als hätten Sie geschlafen.«

Sabina fühlte sich sehr lässig in dem warmen Zimmer, und die Stimme des Jungen Mannes war stark und tief. Sie meinte noch nie jemanden gesehen zu haben, der so stark aussah – als könne er den ganzen Tisch mit einer Hand aufheben –, und unter seinem unruhigen Blick, der über ihr Gesicht und ihre Figur wanderte, spürte sie tief innen in ihrem Körper eine seltsame Erregung – halb Freude, halb Schmerz . . . Sie wollte gern stehenbleiben, dicht neben ihm, während er seinen Wein trank. Eine kleine Stille trat ein. Dann zog er ein Buch aus seiner Tasche, und Sabina kehrte an ihre Näharbeit zurück. Während sie so in ihrer Ecke saß, lauschte sie auf das Umblättern der Seiten und auf das laute Ticken der Uhr, die über dem vergoldeten Spiegel hing. Sie wollte ihn wieder anschauen, er hatte etwas Besonderes an sich, die tiefe Stimme, sogar der Sitz seiner Kleider. Vom Zimmer über sich hörte sie die schweren, schleppenden Schritte Frau Lehmanns, und wieder beunruhigten sie dieselben Gedanken. Wenn sie selbst eines Tages so aussehen sollte – sich so fühlen sollte! Doch es wäre sehr süß, könnte man ein kleines Baby haben, das man anzog und auf den Knien tanzen ließ.
»Fräulein – wie heißen Sie – warum lächeln Sie?« fragte der Junge Mann.
Sie wurde rot und sah auf. Die Hände lagen still in ihrem Schoß; sie blickte über die leeren Tische hinweg und schüttelte den Kopf.
»Kommen Sie her, ich zeige Ihnen ein Bild!« befahl er.
Sie ging und stellte sich neben ihn. Er schlug das Buch auf, und Sabina sah ein buntes Bild von einem nackten Mädchen, das auf der Kante eines großen, zerwühlten Bettes saß. Auf dem Hinterkopf trug sie einen Herrenzylinder.
Er legte die Hand über den Körper, so daß nur das Gesicht zu sehen war, und dann warf er Sabina einen scharfen Blick zu.
»Und?«
»Was meinen Sie?« fragte sie, wußte es aber sehr genau.
»Oh, es könnte eine Photographie von Ihnen sein, vom Gesicht, meine ich – so weit kann ich es jedenfalls beurteilen.«
»Aber sie ist anders frisiert«, sagte Sabina lachend. Sie warf

den Kopf zurück, und das Lachen gluckste in ihrer runden, weißen Kehle.
»Es ist ein recht hübsches Bild, finden Sie nicht?« fragte er. Aber sie blickte auf den seltsamen Ring, den er an der Hand trug, die den Körper des Mädchens zudeckte, und nickte nur.
»Haben Sie dergleichen schon mal gesehen?«
»Ach, in den Illustrierten gibt's diese komischen Bilder doch haufenweise!«
»Würde es Ihnen gefallen, so photographiert zu werden?«
»Ich? Ich würd's nie jemanden sehen lassen. Außerdem habe ich nicht so einen Hut.«
»Den kann man leicht beschaffen.« Wieder trat eine kleine Stille ein, die diesmal von Anna unterbrochen wurde, als sie das Schiebetürchen aufstieß.
»Da, bring der Frau die Eiermilch!« sagte Anna. »Wen hast du denn da vorn sitzen?«
»So 'n komischer Mann! Ich glaube, er hat sie nicht mehr ganz beisammen«, sagte sie und klopfte an die Stirn.
Oben in dem häßlichen Zimmer saß die nähende Frau, einen schwarzen Schal um die Schultern, die Füße in rotwollene Pantoffeln gezwängt. Das Mädchen stellte die Milch neben die Frau auf den Tisch, dann stand sie da und rieb den Löffel an ihrer Schürze blank.
»Weiter nichts?«
»Nein«, sagte die Frau und hob sich mühsam aus dem Stuhl.
»Wo ist mein Mann?«
»Drüben bei Snipolds – er spielt Karten. Brauchen Sie ihn?«
»Nein, lieber Himmel. Laß ihn in Ruhe. Ich bin ein Nichts. Auf mich kommt's nicht an... Und den ganzen Tag hier warten ...« Ihre Hand zitterte, als sie mit ihrem dicken Finger über den Rand des Glases fuhr.
»Soll ich Ihnen beim Zubettgehen helfen?«
»Geh nach unten und laß mich in Ruhe! Sag Anna, sie soll auf Hans achten, daß er sich keinen Zucker maust – sie soll ihm eins hinter die Ohren geben.«
»Häßlich – häßlich – häßlich«, brummelte Sabina und kehrte ins Café zurück, wo der Junge Mann, zum Gehen bereit, in seinem zugeknöpften Mantel dastand.

»Morgen komme ich wieder«, sagte er. »Kämmen Sie Ihr Haar nicht so straff nach hinten — dann verliert es alle Locken!«
»Ha, Sie sind mir ein Kaninchen«, sagte sie. »Gute Nacht.«
Anna schnarchte schon, als Sabina endlich zu Bett gehen konnte. Sie bürstete sich ihr langes Haar und nahm es dann in die Hand. Vielleicht wäre es schade, wenn es all seine Locken verlöre? Dann blickte sie auf ihr gradgeschnittenes Hemd herunter, streifte es ab und setzte sich auf die Bettkante.
»Ich wünschte«, flüsterte sie und lächelte schläfrig, »es wäre ein riesengroßer Spiegel in dem Zimmer hier.«
Als sie sich im Dunkeln niederlegte, umarmte sie ihren kleinen Körper.
»Nicht für hundert Mark möcht' ich die Frau sein — nicht für tausend Mark! So auszusehen!« Und halb im Traum stellte sie sich vor, wie sie in ihrer Ecke mit der Portweinflasche in der Hand aufstand, weil der Junge Mann das Café betrat.
Kalt und dunkel war's am nächsten Morgen. Sabina wachte auf und war müde: ihr war, als hätte etwas Schweres die ganze Nacht gegen ihr Herz gedrückt. Im Gang waren schlurfende Schritte zu hören. Herr Lehmann! Sie mußte die Zeit verschlafen haben. Ja, er ratterte an der Türklinke.
»Gleich! Gleich!« rief sie und zog sich die Strümpfe an.
»Bina, sag Anna, sie soll zur Frau gehen — aber schnell! Ich muß wegfahren und die Krankenschwester holen.«
»Ja, ja«, rief sie. »Ist es da?«
Aber er war schon weg, und sie lief zu Anna hinüber und rüttelte sie an der Schulter.
»Die Frau — das Baby — Herr Lehmann holt die Krankenschwester«, stotterte sie.
»Gott im Himmel!« rief Anna und warf sich aus dem Bett. Heute beklagte sie sich nicht. Wichtigkeit und Begeisterung sprachen aus Annas ganzem Gehabe.
»Lauf nach unten und mach Feuer im Herd! Setz einen Kessel mit Wasser auf!« Während sie ihre Bluse schloß, sprach sie wie zu einer unsichtbaren Dulderin. »Ja, ja, ich weiß — erst muß es uns schlechtergehen, eh's uns bessergeht — ich komme schon — Geduld!«

Den ganzen Tag war es dunkel. Die Lampen wurden angeknipst, sowie das Café geöffnet wurde, und sehr viel Kundschaft kam und ging. Die Krankenschwester hatte Anna aus dem Zimmer der Frau gejagt, und jetzt weigerte sie sich zu arbeiten, saß in einer Ecke, bedauerte sich und lauschte auf die Geräusche über ihrem Kopf. Hans zeigte mehr Mitgefühl als Sabina. Auch er ließ die Arbeit im Stich, stand am Fenster und bohrte in der Nase.

»Warum muß ich alles allein machen?« sagte Sabina und spülte die Gläser. »Ich kann der Frau nicht helfen. Sie sollte sich nicht soviel Zeit dafür nehmen!«

»Hast du's gehört?« fragte Anna. »Sie haben sie in das hintere Schlafzimmer geschafft, damit sie nicht die Gäste stört. Das war laut gestöhnt, jetzt eben!«

»Zwei kleine Bier!« schrie Herr Lehmann durchs Schiebetürchen.

»Gleich! Gleich!«

Um acht war das Café leer. Sabina setzte sich ohne die Näharbeit in ihre Ecke. Mit der Frau schien nichts passiert zu sein. Ein Doktor war gekommen – das war alles.

»Ach«, sagte Sabina, »ich denke nicht mehr dran! Ich höre nicht mehr hin! Ach, am liebsten würde ich weggehen! Das Gerede ist gräßlich. Ich will's nicht hören. Es ist mir einfach zuviel!« Sie stemmte beide Ellbogen auf den Tisch, schmiegte das Gesicht in die Hände und schmollte.

Aber als sich plötzlich die Eingangstür öffnete, sprang sie auf und lachte. Es war wieder der Junge Mann. Er bestellte sich wieder Portwein. Diesmal hatte er kein Buch mitgebracht.

»Sitzen Sie nicht so meilenweit weg von mir!« schalt er. »Ich möchte unterhalten werden. Da – nehmen Sie meinen Mantel! Können Sie ihn nicht irgendwo trocknen? Es schneit schon wieder.«

»Ich weiß, wo es warm ist – in der Damengarderobe«, sagte sie. »Ich bringe ihn hin – es ist gleich neben der Küche.«

Ihr war wohler zumute, und sie war wieder ganz glücklich.

»Ich komme mit«, sagte er. »Ich will sehen, wohin Sie ihn bringen.« Und das schien gar nicht ungewöhnlich. Sie lachte und winkte ihm, ihr zu folgen.

»Hier hinein!« rief sie. »Merken Sie, wie warm es ist? Ich werde noch mehr Holz in den Ofen stecken. Es macht nichts, die andern haben oben genug zu tun.«
Sie kniete sich auf den Fußboden, stieß Holz in den Ofen und lachte wegen ihrer mutwilligen Verschwendung.
Vergessen die Frau, vergessen der dumme Tag. Hier stand jemand neben ihr und lachte auch. Sie waren beide in der warmen kleinen Kammer und brachten Herrn Lehmann um sein Holz. Es kam ihr als das aufregendste Abenteuer von der Welt vor. Sie wollte immer weiterlachen – oder losheulen – oder – oder den Jungen Mann festhalten.
»Was für ein Feuer!« rief sie und streckte die Hände aus.
»Hier ist meine Hand, ziehen Sie sich hoch!« sagte der Junge Mann. »So – und morgen wird Ihnen dann was blühen!«
Sie standen sich gegenüber und hielten sich noch bei der Hand. Und wieder überfiel Sabina das seltsame Erschauern.
»Hören Sie mal«, sagte er rauh, »sind Sie ein Kind, oder tun Sie, als wären Sie eins?«
»Ich – ich – «
Mit dem Lachen war es vorbei. Sie blickte kurz zu ihm auf und dann zu Boden und begann wie ein erschrockenes kleines Tier zu atmen.
Er zog sie noch näher und küßte sie auf den Mund.
»Oh, was machen Sie?« flüsterte sie.
Er ließ ihre Hände los und legte seine Hände auf ihre Brüste: alles in der kleinen Kammer schien um Sabina zu kreiseln. Plötzlich drang vom Zimmer über ihnen ein furchtbarer, wilder Schrei.
Sie riß sich los, straffte sich und richtete sich kerzengerade auf. »Wer war das? – Wer hat so geschrien?«

Durch die Stille tönte das dünne Wimmern eines Babys.
»Oh!« kreischte Sabina und stürzte aus der Kammer.

Das Luftbad

Ich glaube, es sind die Schirme, die uns so lächerlich aussehen lassen.

Als ich das erstemal ins ›Gehege‹ zugelassen wurde und meine Badekurgenossinnen sozusagen splitternackt herumwandeln sah, fand ich, daß die Schirme eindeutig an die Bilder vom ›Kleinen Schwarzen Sambo‹ erinnerten.

Ein grünes Baumwolldach mit einem roten Papageiengriff über sich zu halten, wenn man mit nichts bekleidet ist, was größer als ein Taschentuch ist, macht jede Würde lächerlich. Bäume gibt es nicht im Luftbad. Es rühmt sich einer Anzahl leerer Holzzellen, einer Badebude, zweier Schaukeln und zweier Keulen – deren eine vermutlich das abhanden gekommene Eigentum des Herkules oder des deutschen Heeres ist, während die andre unbesorgt in der Wiege benutzt werden kann.

Und dort nehmen wir bei Wind und Wetter unser Luftbad – wandern herum oder sitzen in kleinen Gruppen beisammen und plaudern über unsre allseitigen Unpäßlichkeiten und Ausmaße und Gebresten, denen das Fleisch unterworfen ist. Eine hohe Bretterwand schließt uns ringsherum ein; die Tannen blicken ein wenig hochmütig darüber hinweg und stoßen einander mit dem Ellbogen an – eine Manier, die einer *débutante* sehr auf die Nerven fällt. Jenseits der Wand ist auf der rechten Seite die Abteilung für Männer. Wir hören, wie sie Bäume umhacken und Bretter durchsägen, schwere Gewichte auf den Boden fallen lassen und mehrstimmig singen. Ja, sie nehmen es viel ernster.

Am ersten Tag mußte ich dauernd an meine Beine denken und ging dreimal in meine Zelle, um auf die Uhr zu schauen, aber als eine Frau, mit der ich drei Wochen lang Schach gespielt hatte, mich glatt übersah, faßte ich Mut und schloß mich einer Gruppe an. Wir lagen mit angezogenen Beinen auf dem Boden, während eine ungarische Dame von gewaltigen Proportionen uns erzählte, was für ein schönes Grab sie für ihren zweiten Mann gekauft hatte.

»Es ist eine Gruft«, sagte sie, »mit einem hübschen schwarzen Gitter und so groß, daß ich hinuntersteigen und unten herumgehen kann. Von beiden sind die Photographien dort, mitsamt zwei sehr schönen Kränzen, die der Bruder meines ersten Mannes mir geschickt hat. Auch eine Vergrößerung von einem Familienbild ist da und eine bunt ausgemalte Widmung, die mein erster Mann zu seiner Hochzeit erhielt. Ich bin oft dort; an einem schönen Samstagnachmittag ist es ein angenehmer Ausflug.«
Plötzlich legte sie sich längelang auf den Rücken, schöpfte sechsmal tief Atem und setzte sich wieder hoch.
»Der Todeskampf war grauenhaft«, erzählte sie strahlend, »beim zweiten, meine ich. Der erste wurde von einem Möbelwagen überfahren, und fünfzig Mark wurden ihm aus der Tasche seiner neuen Jacke gestohlen. Aber der zweite starb siebenundsechzig Stunden lang. Die ganze Zeit habe ich nicht zu weinen aufgehört, auch nicht, als ich die Kinder zu Bett brachte.«
Eine junge Russin mit Ponyfransen auf der Stirn wandte sich an mich.
»Können Sie Salomes Tanz?« fragte sie. »Ich kann ihn.«
»Wie entzückend«, sagte ich.
»Soll ich ihn jetzt tanzen? Möchten Sie mir zuschauen?«
Sie sprang auf, vollführte während der nächsten zehn Minuten eine Reihe der erstaunlichsten Verrenkungen und hielt dann keuchend inne und flocht ihr langes Haar.
»Ist es nicht fein?« fragte sie. »Und nun transpiriere ich so herrlich. Ich geh' jetzt ein Bad nehmen!«
Mir gegenüber lag eine Frau auf dem Rücken und hatte die Arme über dem Kopf verschränkt. Sie war so braun, wie ich noch nie jemanden gesehen hatte.
»Wie lange sind Sie heut schon hier?« wurde sie gefragt.
»Oh, ich bleibe jetzt immer den ganzen Tag hier«, antwortete sie. »Ich mache meine eigene Kur und lebe gänzlich von rohem Gemüse und Nüssen, und ich spür's, wie mein Geist von Tag zu Tag kräftiger und reiner wird. Was kann man schließlich anders erwarten? Die meisten von uns gehen mit Schweinemolekülen und Ochsenfasern im Gehirn umher. Ein

Wunder, daß die Menschheit so gut ist, wie sie ist. Ich lebe hier von einfacher, natürlicher Nahrung« – sie deutete auf einen kleinen Beutel neben sich –, »ein Salatkopf, eine Mohrrübe, eine Kartoffel und ein paar Nüsse sind reichlich für eine vernünftige Ernährung. Ich wasche sie unter dem Wasserhahn und esse sie roh, wie sie von der harmlosen Mutter Erde kommen: frisch und unverseucht.«
»Nehmen Sie den ganzen Tag nichts anderes zu sich?« rief ich.
»Wasser. Und vielleicht eine Banane, wenn ich nachts aufwache.« Sie drehte sich um und stützte sich auf den einen Ellbogen. »Sie überessen sich fürchterlich!« sagte sie. »Schandbar! Wie können Sie erwarten, daß die Flamme des Geistes unter soviel Schichten überflüssigen Fleisches strahlend brennt?«
Ich wünschte, sie würde mich nicht so anstarren, und dachte dran, wieder in meine Zelle zu gehen und auf die Uhr zu schauen, als ein kleines Mädchen, das eine Korallenkette trug, sich uns anschloß.
»Die arme Frau Hauptmann kann heute nicht kommen«, sagte sie. »Ihr Körper ist übersät mit roten Pusteln – von ihren Nerven. Sie war gestern ganz aufgeregt, nachdem sie zwei Postkarten geschrieben hatte.«
»Eine zarte Frau«, meinte die Ungarin, »aber liebenswürdig. Stellen Sie sich vor, sie hat für jeden ihrer Vorderzähne eine besondere Platte! Aber sie dürfte ihre Töchter nicht in so kurzen Matrosenkleidchen herumlaufen lassen! Wenn sie auf Bänken sitzen, schlagen sie die Beine auf eine geradezu schamlose Manier übereinander. Was werden Sie heut nachmittag machen, Fräulein Anna?«
»Ach«, sagte die Korallenkette, »der Herr Oberleutnant hat mich aufgefordert, mit ihm nach Landsdorf zu gehen. Er muß Eier kaufen, die er seiner Mutter mitbringen will. Er spart einen Groschen an acht Eiern, weil er die richtigen Bauern kennt, mit denen man handeln kann.«
»Sind Sie Amerikanerin?« fragte die Rohgemüsedame und wandte sich mir zu.
»Nein.«
»Dann sind Sie Engländerin?«

»Eigentlich kaum ...«
»Sie müssen eins oder das andre sein; da hilft Ihnen alles nichts. Ich habe Sie wiederholt allein gesehen, wie Sie spazierengingen. Sie tragen Ihr ...«
Ich stand auf und stieg auf die Schaukel. Die Luft war würzig und kühl und sauste an meinem Körper entlang. Über mir segelten weiße Wolken zierlich über den blauen Himmel. Der Tannenwald verströmte einen herben Geruch, und die Äste schlugen im Gleichmaß aneinander und rauschten ernst. Mir war so leicht und frei und glücklich zumute – als wäre ich ein Kind! Ich wollte der Gruppe auf dem Rasen, die jetzt näher zusammengerückt war und bedeutungsvoll tuschelte, meine Zunge herausstrecken.
»Vielleicht wissen Sie nicht«, rief mir eine Stimme aus einer Zelle zu, »daß Schaukeln für den Magen sehr ungesund ist? Eine meiner Freundinnen konnte drei Wochen lang kein Essen bei sich behalten, nachdem sie ihren Magen so gereizt hatte.«
Ich ging in die Badebude und ließ mich mit dem Schlauch abspritzen.
Während ich mich ankleidete, klopfte jemand an die Wand. »Wissen Sie auch«, sagte eine Stimme, »daß im Luftbad nebenan ein Mann *wohnt?* Er gräbt sich bis zu den Achselhöhlen in Schlamm ein und weigert sich, an die Dreifaltigkeit zu glauben.«
Die Schirme im Luftbad sind ein wahrer Segen! Wenn ich jetzt hingehe, nehme ich immer meines Mannes alte Musspritze mit und setze mich in eine Ecke und verstecke mich dahinter.
Nicht etwa, daß ich mich wegen meiner Beine schämte – nicht die Spur!

Ein Geburtstag

— — — — — — — — — — — — — — —

Andreas Binzer wurde allmählich wach. Er drehte sich in dem schmalen Bett um und streckte sich und gähnte, wobei er den Mund aufriß, so weit er nur konnte, und danach die Zähne mit scharfem ›Klick‹ zusammenschlug. Es war ein Ton, der ihn faszinierte: er wiederholte ihn rasch ein paarmal hintereinander und schnappte die Kiefer zu. Was für Zähne! dachte er. Jeder gesund wie eine Glocke, jeder einzelne Bursche. Hatte sich nie einen ziehen lassen, nie einen füllen lassen. Das kommt davon, wenn man sich vernünftig ernährt und abends und morgens regelmäßig und kräftig die Zähne putzt. Er stützte sich auf den linken Ellbogen und schwenkte den rechten Arm übers Bett weg, um nach dem Stuhl zu tasten, auf dem er über Nacht seine Uhr und die Uhrkette liegen hatte. Kein Stuhl war da – natürlich, er hatte es vergessen, in dem elenden Gastzimmer war kein Stuhl. Er hatte das verflixte Ding unter sein Kissen legen müssen. ›Halb neun, Sonntag, Frühstück um neun, Zeit fürs Bad‹, tickte sein Gehirn im Gleichklang mit der Uhr. Er sprang aus dem Bett und ging ans Fenster hinüber. Die Lattenjalousie war zerbrochen und hing wie ein Fächer über dem oberen Schiebefenster ... ›Die Jalousie muß ausgebessert werden. Ich werde dem Büroburschen sagen, daß er morgen auf dem Heimweg hereinkommt und sie ausbessert – er versteht sich auf Jalousien. Werde ihm Twopence geben, dann macht er's so gut wie ein Tischler ... Anna könnte es selbst machen, wenn's ihr gutginge. Ich übrigens auch, aber ich wage mich nicht gern auf wacklige Trittleitern.‹ Er sah zum Himmel auf: er erglänzte merkwürdig weiß und wolkenlos; dann blickte er auf eine Reihe von Kleingärten und Hinterhöfen. Der Zaun dieser Gärtchen zog sich am Rand einer Schlucht hin, über die sich eine eiserne Hängebrücke spannte, und die Leute hatten die üble Gewohnheit, ihre leeren Konservenbüchsen über den Zaun in die Schlucht hinunterzuwerfen. Klar, das sah ihnen ähnlich! Andreas begann die Büchsen zu zählen und beschloß tückisch, darüber einen Brief an die Zeitung zu schreiben und ihn zu unterzeichnen, mit seinem vollen Namen zu unterzeichnen.

Das Dienstmädchen trat aus der Küchentür auf den Hof hinaus, in der Hand seine Stiefel. Sie warf den einen auf den Boden, steckte ihre Hand in den andern und blickte ihn mißbilligend an. Plötzlich beugte sie sich vor, spuckte auf die Kappe und begann ihn mit der Bürste, die sie aus der Schürzentasche ausgrub, blank zu wichsen . . . ›Schlampe von einem Mädchen! Weiß der Himmel, was für eine ansteckende Krankheit sie jetzt auf den Stiefel übertragen hat! Anna muß das Mädchen entlassen – sobald sie wieder auf und zugange ist –, selbst wenn sie sich eine Weile ohne Mädchen behelfen muß. So eine Art, den einen Stiefel hinzuwerfen und dann auf den andern zu spucken! Es war ihr ganz einerlei, wessen Stiefel sie vor sich hatte. Gab sich keinen geheuchelten Ideen von Respekt hin, der dem Herrn des Hauses gebührte!‹ Er drehte dem Fenster den Rücken und zerrte angewidert sein Handtuch von der Stange am Waschtisch. ›Für einen Mann bin ich zu sensibel – das ist mein Fehler. Bin's von Anfang an gewesen und werde bis zum Schluß so bleiben.‹

Es wurde leise an die Tür geklopft, und seine Mutter kam herein. Sie zog hinter sich die Tür ins Schloß und lehnte sich dagegen. Andreas sah, daß ihre Haube schief saß und daß ihr eine lange Haarsträhne über die Schulter fiel. Er trat auf sie zu und küßte sie.

»Guten Morgen, Mutter! Wie geht's Anna?«

Die alte Frau sprach rasch und verkrampfte dabei die Hände: »Andreas, bitte geh zu Doktor Erb, sobald du angezogen bist!«

»Warum?« fragte er. »Geht's ihr schlecht?«

Frau Binzer nickte, und während Andreas ihr Gesicht beobachtete, sah er, wie es sich plötzlich veränderte: ein feines Netz von Fältchen schien über die Haut gespannt.

»Setz dich einen Augenblick aufs Bett!« sagte er. »Bist wohl die ganze Nacht auf den Beinen gewesen?«

»Ja. Nein, hinsetzen möchte ich mich nicht, ich muß wieder

zu ihr. Anna hat die ganze Nacht Schmerzen gehabt. Sie wollte dich nicht eher stören; sie sagte, du hättest gestern so abgespannt ausgesehen. Du hast ihr erzählt, du hättest dich erkältet, deshalb hat sie sich Sorgen gemacht.«
Sofort meinte Andreas, daß Vorwürfe gegen ihn erhoben würden.
»Oh, sie hat mich selber gezwungen, es ihr zu sagen – hat's mir mit ihrer Fragerei abgeluchst; du weißt ja, wie sie's macht.«
Frau Binzer nickte wieder.
»O ja, ich weiß. Sie fragt, ob deine Erkältung besser wäre, und in der linken Ecke der großen Kommode liege ein warmes Unterhemd für dich.«
Andreas räusperte sich unwillkürlich zweimal.
»Ja«, antwortete er. »Sag ihr, der Schleim ist schon etwas gelöst. Ich sollte sie wohl lieber nicht stören?«
»Nein, und vor allem: beeil dich, Andreas!«
»In fünf Minuten bin ich fertig.«
Sie gingen auf den Flur. Als Frau Binzer die Tür zum vorderen Schlafzimmer öffnete, drang ein langgezogener Jammerlaut aus dem Zimmer.
Andreas war erschrocken und entsetzt. Er stürzte ins Badezimmer, drehte beide Hähne auf, so weit es nur ging, putzte sich die Zähne und machte sich die Nägel rein, während das Wasser einlief.
»Schreckliche Geschichte! Schreckliche Geschichte!« hörte er sich flüstern. »Und ich kann's nicht verstehen! Ist ja nicht so, als wäre es ihr erstes – ist schon ihr drittes. Der alte Schäfer hat mir gestern erzählt, seine Frau hätte ihr viertes einfach ›verloren‹. Anna hätte eine geschulte Pflegerin haben müssen. Mutter ist so nachgiebig. Mutter verwöhnt sie. Ich möchte mal wissen, was sie damit meinte, daß ich Anna gestern Sorgen gemacht hätte! Reizende Bemerkung zu einem Ehemann – an einem Tag wie dem heutigen! Nervös vermutlich – und wieder meine Feinfühligkeit!«
Als er in die Küche ging, seine Stiefel zu holen, beugte sich das Mädchen über den Herd und bereitete das Frühstück zu. ›Haucht wahrscheinlich jetzt aufs Essen‹, dachte Andreas und

war sehr kurz angebunden zum Mädchen. Sie bemerkte es nicht. Die Vorgänge im oberen Stock erfüllten sie mit Graus und Vergnügen und Wichtigkeit.
Ihr war, als lerne sie mit jedem Atemzug etwas mehr über die Geheimnisse des Lebens.
Während sie in aller Frühe den Tisch deckte, hatte sie ›Junge‹ gesagt und den ersten Teller hingestellt, und ›Mädchen‹, als sie den zweiten hinstellte, und beim Salzlöffel endete es mit ›Junge‹. ›Am liebsten würde ich's dem Herrn erzählen, um ihn ein bißchen zu beruhigen‹, dachte sie. Aber der Herr zeigte sich abgeneigt zu Gesprächen.
»Stell noch eine Tasse mehr auf den Tisch!« sagte er. »Der Doktor wird vielleicht Kaffee trinken wollen.«
»Der Doktor, Herr?« Das Mädchen riß den Löffel so rasch aus der Pfanne, daß zwei Tropfen Fett auf den Herd fielen. »Soll ich noch was mehr braten?« Aber der Herr ging schon und schmetterte die Tür hinter sich zu. Er eilte die Straße entlang – keine Menschenseele war zu sehen; an einem Sonntagmorgen war es hier wie ausgestorben. Während er die Hängebrücke überquerte, stieg ein kräftiger Geruch nach Fenchel und fauligem Abfall aus der Schlucht auf, und in Gedanken faßte Andreas wieder einen Brief ab. Er bog in die Hauptstraße ein. Die Rolläden vor den Schaufenstern waren noch unten. Fetzen Zeitungspapier, Heu und Obstschalen lagen hier und dort auf dem Bürgersteig, und die Rinnsteine waren bis zum Rand mit den Überbleibseln eines Samstags angefüllt. Zwei Hunde jachterten, sich balgend und beißend, über den Fahrdamm. Nur die Kneipe an der Ecke war offen. Ein junger Barmann schüttete Wasser über die Schwelle.
Zimperlich und mit verkniffenem Mund stelzte Andreas durch die Wasserfluten. ›Erstaunlich, was mir heute alles auffällt! Zum Teil liegt es am Sonntag. Ein Sonntag, an dem Anna angebunden ist und die Kinder weg sind, ist mir einfach widerlich. Sonntags hat ein Mann wohl das Recht, seine Familie um sich zu sehen. Hier ist alles schmutzig, und wenn die Straße nicht bald gekehrt wird, verseucht die ganze Gegend, dahin wird's noch kommen! Ich hätte Lust, der Regierung

eins auszuwischen!‹ Er straffte die Schultern. ›Und jetzt zu diesem Doktor!‹

»Doktor Erb ist beim Frühstück«, erklärte ihm das Mädchen. Sie führte ihn ins Wartezimmer, einen dunklen und muffigen Raum mit Farnkraut unter einer Glasglocke am Fenster. »Er sagt, es dauert nicht lange, und hier auf dem Tisch liegt eine Zeitung, Herr.«

›Ungesundes Loch‹, dachte Binzer, trat ans Fenster und trommelte mit den Fingern auf die Glasglocke mit dem Farn. ›Beim Frühstück? Na schön! Aber ich hab' einen Fehler gemacht und bin in aller Frühe mit leerem Magen losgegangen.‹ Ein Milchwagen ratterte die Straße entlang; der Kutscher stand hinten und knallte mit der Peitsche; in seinem Rockaufschlag steckte eine riesengroße Geranienblüte. Fast wie ein Felsen stand er da und lehnte sich im schwankenden Wagen ein wenig hintenüber. Andreas verrenkte sich den Hals, um ihn bis ans Ende der Straße mit dem Blick zu verfolgen, und sogar, nachdem er verschwunden war, lauschte er noch auf das schrille Geräusch der klappernden Kannen. ›Ha, der hat's gut‹, dachte er. ›Wäre nicht abgeneigt, mal an seiner Stelle zu sein. Früh raus, gegen elf alle Arbeit erledigt und den ganzen Tag nichts tun als herumzutrödeln, bis es Zeit zum Melken ist.‹ Er wußte, daß er übertrieb, aber er wollte sich bemitleiden.

Das Mädchen öffnete die Tür und trat beiseite, um Doktor Erb Platz zu machen.

Andreas drehte sich geschwind um, und die beiden Männer reichten sich die Hand.

»Wie ist's denn, Binzer?« fragte der Doktor fröhlich und klopfte sich ein paar Brotkrumen von der perlfarbenen Weste. »Wird der Sohn und Erbe zudringlich?«

Binzers Laune besserte sich sprunghaft. Sohn und Erbe, beim Zeus! Er freute sich, daß er endlich wieder mit einem Mann zu tun hatte. Und obendrein mit einem vernünftigen Burschen, der jeden Tag der Woche mit derlei Dingen zu tun hatte.

»Ja, so steht's ungefähr, Doktor«, antwortete er lächelnd und nahm seinen Hut auf. »Meine Mutter hat mich heute

früh mit dem unumgänglichen Befehl aus dem Bett gerissen, Sie mitzubringen!«
»Das Wägelchen ist in einer Minute bereit. Sie fahren mit mir, nicht wahr? Ungewöhnlich schwüles Wetter; Sie sind schon so rot wie eine Runkelrübe!«
Andreas bemühte sich zu lachen.
Der Doktor hatte eine ärgerliche Gewohnheit: er bildete sich ein, er hätte das Recht, andre Leute zum besten zu halten, bloß, weil er ein Doktor war. ›Der Mann platzt vor Einbildung!‹ dachte Andreas.
»Was für eine Nacht hat Ihre Frau gehabt?« fragte der Doktor. »Aha, da ist das Gig! Berichten Sie's mir unterwegs! Setzen Sie sich so weit wie möglich in die Mitte, ja? Ihr Gewicht bringt den Wagen ein bißchen in Schräglage – das ist das Schlimme mit euch erfolgreichen Geschäftsleuten!«
›Der wiegt gut und gern zwölf Kilo mehr als ich‹, dachte Andreas. ›Er mag ja in seinem Beruf ganz ordentlich sein – aber im übrigen bewahr mich Gott vor ihm!‹
»Los mit dir, meine Hübsche!« Doktor Erb schmitzte der kleinen braunen Stute eins mit der Peitsche. »Hat Ihre Frau letzte Nacht überhaupt geschlafen?«
»Nein, ich glaube nicht«, antwortete Andreas schroff. »Ehrlich gesagt, bin ich gar nicht einverstanden, daß sie keine Pflegerin hat!«
»Oh, Ihre Mutter gilt soviel wie ein Dutzend Pflegerinnen!« rief der Doktor mit sichtlichem Vergnügen. »Ehrlich gesagt, ich bin nicht so versessen auf Pflegerinnen – sind mir zu ungar, ungar wie 'n Rumpsteak! Sie kämpfen um ein Baby, als kämpften sie mit dem Tod um den Leichnam des Patroklus . . . Haben Sie das Bild mal gesehen? Von einem englischen Maler. Leighton heißt er. Großartig – voller Kraft!«
›Da ist er schon wieder zugange‹, dachte Andreas, ›protzt mit seinen Kenntnissen, um mich als dumm hinzustellen.‹
»Ihre Mutter dagegen: die ist firm – die ist tüchtig. Tut genau, was man ihr sagt, und mit genügend Mitgefühl. Sehen Sie mal die Geschäfte, an denen wir vorbeikommen – lauter eitrige Geschwüre! Wie die Regierung so was dulden kann . . .«

»Sie sind nicht so schlimm – solide sind sie, brauchen nur einen neuen Anstrich.«
Der Doktor pfiff sich ein Liedchen und schmitzte wieder mit der Peitsche nach der Stute.
»Also ich hoffe, daß der kleine Racker seiner Mutter nicht allzuviel Kummer macht«, sagte er. »Da wären wir!«
Ein magerer kleiner Junge, der im Rücksitz des Wägelchens auf- und abgehopst war, sprang herunter und hielt den Kopf der Stute. Andreas ging sofort ins Eßzimmer und überließ es dem Dienstmädchen, den Doktor in den oberen Stock zu führen. Er setzte sich, schenkte sich Kaffee ein und aß ein halbes Brötchen, ehe er vom Fisch nahm. Dann bemerkte er, daß der Fisch nicht auf einer heißen Platte lag – das ganze Haus war durcheinandergeraten! Er läutete, und das Dienstmädchen kam mit einem Napf heißer Suppe und einem heißen Teller.
»Ich hab' sie auf dem Herd warm gehalten«, lächelte sie stolz.
»Oh, danke, das war sehr nett von Ihnen!« Während er die Suppe hinunterschlang, dachte er etwas freundlicher über das törichte Mädchen.
»Wie gut, daß Doktor Erb gekommen ist!« sagte das Mädchen unaufgefordert, das sich nach Mitgefühl verzehrte.
»Hm, hm«, machte Andreas.
Einen Moment wartete sie hoffnungsvoll und mit aufgerissenen Augen, dann ging sie voller Abscheu für die Welt der Männer wieder in die Küche und schwor sich, nie Kinder zu kriegen.
Andreas verputzte die Suppe, und er verputzte den Fisch. Während er aß, wurde es im Zimmer langsam dunkler. Ein leichter Wind sprang auf und peitschte die Zweige gegen die Fenster. Das Eßzimmer blickte auf den Wellenbrecher des Hafens, und das Meer kam in mächtigen Wogen angerollt. Der Wind schlich ums Haus und seufzte trübselig.
›Wir bekommen ein Gewitter! Das bedeutet, daß ich hier den ganzen Tag eingesperrt bin. Immerhin hat's ein Gutes: es reinigt die Luft!‹ Er hörte, wie das Mädchen geschäftig im Haus herumrannte und Fenster zuschlug. Dann ertappte er sich bei einem flüchtigen Blick auf sie, als sie im Garten

Küchentücher von der über den Rasen gespannten Leine holte. Sie war ein Arbeitstier, das stand fest. Er nahm sich ein Buch und schob seinen Sessel ans Fenster. Aber es war unnütz: zum Lesen war es zu dunkel. Er hielt nichts davon, daß man die Augen überanstrengte, und um zehn Uhr morgens die Gaslampe brennen erschien ihm widersinnig. Er rutschte also tiefer in seinen Sessel, legte die Ellbogen auf die gepolsterten Lehnen und überließ sich — dieses eine Mal — müßigen Tagträumen. ›Ein Knabe? Ja, diesmal mußte es ein Knabe sein ...‹ — ›Wieviel Kinder haben Sie, Binzer?‹ — ›Oh, ich habe zwei Mädchen und einen Knaben!‹ Eine nette runde Zahl. Natürlich wäre er der letzte, ein Kind den anderen vorzuziehen, aber ein Mann brauchte einen Sohn. ›Ich will das Geschäft für meinen Sohn auf die Höhe bringen. Binzer & Sohn! Es würde bedeuten, in den nächsten zehn Jahren sehr sparsam zu leben und die Ausgaben möglichst einzuschränken und dann ...‹

Eine fürchterliche Bö stieß gegen das Haus, packte es, schüttelte es und ließ es fallen, um es noch heftiger anzugreifen. Die Wogen längs des Wellenbrechers gingen immer höher, und Schaumbrocken peitschten drüber hin. Über den weißen Himmel flogen zerfetzte graue Wolkenbanner. Andreas war ganz erleichtert, als er den Doktor die Treppe herunterkommen hörte; er stand auf und zündete die Gaslampe an.

»Macht's Ihnen was aus, wenn ich hier rauche?« fragte Doktor Erb und zündete sich eine Zigarette an, ehe Andreas Zeit für eine Antwort fand. »Sie rauchen nicht, was? Keine Zeit, schädlichen kleinen Gewohnheiten zu frönen!«

»Wie geht's ihr jetzt?« fragte Andreas voller Widerwillen gegen den Doktor.

»Ach, so gut man's verlangen kann. Das arme kleine Ding hat mich gebeten, hinunterzugehen und mich um Sie zu kümmern. Sie meinte, daß Sie sich Sorgen machten!« Mit lachenden Augen betrachtete er den Frühstückstisch. »Sie haben's aber fertiggebracht, ein bißchen zu futtern, wie ich sehe, eh?«

Huuu-iiih! brüllte der Wind und rüttelte an den Schiebefenstern.

»Schade – so ein Wetter!« sagte Doktor Erb.
»Ja, es geht Anna auf die Nerven – und gute Nerven braucht sie gerade jetzt!«
»Was sagen Sie da?« rief der Doktor. »Nerven? Mein lieber Mann, sie hat doppelt soviel Nerven wie Sie und ich zusammengenommen. Nerven! Sie hat tolle Nerven! Eine Frau, die so im Haus arbeitet wie sie, und obendrein in vier Jahren drei Kinder als gute Zugabe, sozusagen!«
Er schnellte seine halbgerauchte Zigarette in den Kamin und blickte stirnrunzelnd aufs Fenster.
›Jetzt macht der mir auch noch Vorwürfe‹, dachte Andreas. ›Schon zum zweitenmal heute morgen – erst Mutter und jetzt der Mann hier, und beide trampeln auf meinem Feingefühl herum.‹ Er getraute sich nicht zu sprechen, sondern läutete dem Mädchen.
»Räumen Sie die Frühstückssachen ab!« befahl er. »Ich kann's nicht leiden, wenn sie bis zum Essen hier so liederlich auf dem Tisch herumstehen!«
»Gehen Sie nicht so streng mit dem Mädchen um!« redete ihm Doktor Erb gut zu. »Sie hat heute doppelte Arbeit!«
Nun loderte Binzers Ärger auf.
»Darf ich Sie bitten, sich nicht zwischen mich und meine Dienstboten zu stellen?« Und im gleichen Moment kam er sich dumm vor, weil er nicht ›mein Dienstmädchen‹ gesagt hatte.
Doktor Erb ließ sich nicht aus der Ruhe bringen. Er schüttelte den Kopf, steckte die Hände in die Taschen und begann, abwechselnd auf Zehen und Fersen zu wippen.
»Das Wetter zerrt an Ihren Nerven«, sagte er spöttisch, »weiter ist es nichts. Sehr bedauerlich, dieses Gewitter. Auf das Gebären hat das Wetter nämlich einen ungeheuren Einfluß. Ein schöner Tag bringt die Frau in Stimmung, so daß sie mit Mut an ihre Aufgabe herangeht. Gutes Wetter ist für eine Niederkunft ebenso notwendig wie für einen Waschtag. Gar nicht so übel, dieser Ausspruch – von einem beruflichen Fossil wie mir, eh?«
Andreas gab keine Antwort.
»Also dann werde ich mich wieder zur Patientin begeben!

Warum gehen Sie nicht spazieren, um sich den Kopf zu lüften? Genau das richtige für Sie!«

»Nein«, antwortete er. »Das möchte ich nicht. Es ist mir zu stürmisch.«

Er kehrte zu seinem Lehnstuhl am Fenster zurück. Während das Mädchen den Tisch abräumte, gab er vor zu lesen – und versank in Träume. Es schien Jahre her zu sein, seit er Zeit gehabt hatte, nur so vor sich hinzuträumen. Den ganzen Tag mit Arbeit überlastet, und am Abend konnte er es nicht wie andre Männer einfach abschütteln. Außerdem interessierte sich Anna für seine Arbeit – sie sprachen eigentlich von nichts anderem zusammen. Eine ausgezeichnete Mutter für einen Jungen würde sie abgeben – sie hatte eine rasche Auffassungsgabe.

Die Kirchenglocken begannen durch die stürmische Luft zu läuten: mal klang es wie aus weiter Ferne kommend, dann wieder, als wären alle Kirchen der ganzen Stadt plötzlich hier in diese Straße versetzt worden. Sie rührten etwas in ihm auf, die Glocken, etwas Unbestimmtes und Zartes. Um diese Tageszeit pflegte Anna ihm sonst vom Flur aus zuzurufen: ›Andreas, komm und laß dir den Mantel bürsten! Ich bin bereit!‹ Dann würden sie zusammen weggehen, sie bei ihm eingehakt und zu ihm aufblickend. Sie war wirklich ein kleines Ding. Er erinnerte sich, wie er einmal in seiner Verlobungszeit zu ihr gesagt hatte: »Genau bis ans Herz reichst du mir« – und sie war auf einen Schemel gesprungen und hatte seinen Kopf lachend zu sich heruntergezogen. Damals war sie ein Kind gewesen, im Wesen jünger als ihre Kinder, aufgeweckter, mehr Mumm und Schwung hatte sie. Wie sie die Straße hinabrannte, um ihm nach Geschäftsschluß entgegenzulaufen! Und wie sie gelacht hatte, als sie nach einem Haus Ausschau hielten! Beim Zeus, ihr Lachen! Im Gedanken daran griente er, dann wurde er plötzlich ernst. Die Ehe veränderte eine Frau bestimmt weit mehr als einen Mann. Vernünftig werden – was für ein Geschwätz! In zwei Monaten hatte sie all ihren Schwung verloren. Aber wenn sie diese Sache mit dem Söhnchen hinter sich hatte, würde sie kräftiger werden. Er begann, eine kleine Reise für sie beide zu planen. Er würde sie hier rausholen, und dann würden sie irgendwo herumbummeln. Sie waren schließlich noch jung, zum Kuckuck! Sie hatte sich im gewohnten Geleise festgefahren – er würde sie herausholen müssen, das war alles!

Er stand auf und ging ins Wohnzimmer, schloß sorgfältig die Tür und nahm Annas Photographie vom Klavierdeckel herunter. Sie trug ein weißes Kleid mit einer großen Schleife aus einem duftigen Stoff unter dem Kinn und stand etwas steif da, in der Hand ein Gebinde aus künstlichem Mohn und Ähren. Zart hatte sie schon damals gewirkt – ihr schweres Haar ließ sie so aussehen. Sie schien unter den schweren Flechten zusammenzusinken, und doch lächelte sie. Andreas sog heftig den Atem ein: sie war seine Frau, diese Kleine! Pah! Die Aufnahme war erst vor vier Jahren gemacht worden. Er hielt sie näher, beugte sich darüber und küßte sie. Dann rieb er mit dem Handrücken über das Glas. Im gleichen Augenblick, gedämpfter als vorhin im Flur, aber viel erschreckender, hörte er wieder den Jammerlaut. Der Wind griff ihn in spöttischem Echo auf, wehte ihn über die Dächer und die Straße hinab, weit weg von ihm. Er warf die Arme auf: »Ich bin so verdammt hilflos«, sagte er, und dann, zum Bild: »Vielleicht ist es nicht so schlimm, wie es klingt – vielleicht ist es bloß meine Überempfindlichkeit.« Im dämmerigen Licht des Wohnzimmers schien sich das Lächeln auf Annas Bildnis zu vertiefen und geheimnisvoll zu werden – sogar grausam. ›Nein‹, dachte er, ›das Lächeln hier ist nicht ihr treffendster Ausdruck – es war falsch, sie mit diesem Lächeln aufzunehmen. Sie sieht gar nicht wie meine Frau – wie die Mutter meines Sohnes aus!‹ Ja, das war es: sie sah nicht wie die Mutter des Sohnes aus, der Mitinhaber der Firma werden sollte. Das Bild ging Andreas auf die Nerven; er hielt es in eine andre Beleuchtung, sah es aus der Ferne und von der Seite an, ja er brachte, wie es ihm später vorkam, eine Ewigkeit damit zu, um es ins richtige Licht zu rücken. Je mehr er mit dem Bild spielte, desto mehr mißfiel es ihm. Dreimal trug er es zum Kamin und beschloß, es hinter dem japanischen Funkenschirm in den Kamin zu werfen;

dann kam es ihm verrückt vor, einen so kostspieligen Rahmen zu vergeuden. Es nutzte nichts, sich etwas vorzumachen: Anna sah wie eine Fremde aus – anormal – ein Monstrum –, als wäre es eine Aufnahme, die man kurz vor oder nach ihrem Tode gemacht hatte.
Plötzlich wurde er gewahr, daß der Wind sich gelegt hatte und daß es im ganzen Haus still, furchtbar still war. Kalt und blaß, mit dem widerlichen Gefühl, daß Spinnen über sein Gesicht und seinen Rücken krochen, stand er mitten im Wohnzimmer und hörte Doktor Erbs Schritte die Treppe herunterkommen.
Er sah Doktor Erb ins Zimmer treten; das Zimmer schien sich in einen ungeheuren Glaspokal zu verwandeln, der herumkreiselte, und Doktor Erb schien in diesem Glaspokal auf ihn zuzuschwimmen – ein Goldfisch in einer perlfarbenen Weste.
»Meine geliebte Frau ist nicht mehr!« Er wollte es herausschreien, bevor der Doktor sprach.
»Also diesmal hat sie sich einen Jungen geangelt«, sagte Doktor Erb. Andreas torkelte ein paar Schritte vor.
»Achtung! Bleiben Sie auf den Beinen!« rief Doktor Erb, packte Binzer am Arm und murmelte, ihn befühlend: »Schwabbelig wie Butter!«
Andreas strahlte vor Begeisterung. Er triumphierte.
»Ha! *Mir* kann weiß Gott niemand vorwerfen, daß ich nicht wüßte, was Leiden ist!« sagte er.

Das KIND-DAS-MÜDE-WAR

— — — — — — — — — — — — — — — —

Sie fing gerade an, eine kleine weiße Straße mit hohen schwarzen Bäumen auf beiden Seiten entlangzugehen, die nirgends hinführte und wo sonst gar niemand ging, als eine Hand sie bei der Schulter packte und sie schüttelte und ihr einen Klaps gab.

»Oh, oh, haltet mich nicht fest!« rief das KIND-DAS MÜDE-WAR, »laßt mich weitergehen!«

»Steh auf, du nichtsnutziges Balg!« sagte eine Stimme, »steh auf und mach Feuer im Herd, oder ich schüttle dir jeden Knochen aus dem Leib!«

Mit ungeheurer Anstrengung öffnete sie die Augen und sah, daß die FRAU dastand und das Baby unter den Arm gebündelt hatte. Die drei andern Kinder, die mit dem KIND-DAS-MÜDE-WAR im gleichen Bett schliefen, waren an Krakeel gewöhnt und schliefen friedlich weiter. Der MANN schnallte in einer Ecke des Zimmers seine Hosenträger an.

»Was fällt dir ein, die ganze Nacht durchzuschlafen wie ein Sack Kartoffeln? Deinetwegen hat das Baby zweimal sein Bett naß gemacht!«

Sie antwortete nicht, sondern verknotete die Schnur ihres Unterrocks und knöpfte mit kalten, zitternden Fingern ihren Rock zu.

»Das reicht jetzt! Da! Nimm das Baby mit in die Küche und mach dem Herrn seinen Kaffee auf der Spirituslampe heiß, und gib ihm den Laib Schwarzbrot aus der Schublade im Tisch! Friß mir ja nichts davon – ich merk's!«

Die FRAU schwankte durchs Zimmer, warf sich auf ihr Bett und zog sich das rote Federbett bis zu den Schultern hinauf.

In der Küche war es beinah dunkel. Sie legte das Baby auf die Bank und deckte es mit einem Schal zu; dann goß sie Kaffee aus dem Tontopf in die Untertasse und stellte sie zum Erwärmen auf die Spirituslampe.

»Ich bin so schläfrig«, nickte das KIND-DAS-MÜDE-WAR, kniete sich auf den Boden hin und spaltete die feuchten Kienscheite in Späne. »Deshalb bin ich nicht aufgewacht!«

Es dauerte lange, bis der Herd brannte. Vielleicht war ihm kalt, genau wie ihr, und schläfrig. Vielleicht hatte er von einer kleinen weißen Straße mit schwarzen Bäumen auf beiden Seiten geträumt, von einer kleinen Straße, die nirgends hinführte.

Dann wurde die Tür heftig aufgerissen, und der MANN stelzte in die Küche.

»Heda, warum sitzt du denn auf dem Fußboden?« schrie er. »Gib mir meinen Kaffee! Ich muß fort. Puh! Du hast nicht mal den Tisch abgewischt!«

Sie sprang auf, goß ihm den Kaffee in einen Emailbecher und gab ihm Brot und ein Messer, dann nahm sie einen Wischlappen aus dem Spülstein und fuhr damit über den schwarzen Linoleumtisch.

»Einmal 'n Schwein – immer 'n Schwein!« brummte der am Tisch sitzende Mann und starrte aus dem Fenster auf den braun verfleckten Himmel, der schwer über dem düsteren Land zu brüten schien. Er stopfte sich den Mund voll Brot und spülte es mit Kaffee hinunter.

Das KIND ließ einen Eimer Wasser vollaufen, krempelte sich die Ärmel hoch, blickte dabei stirnrunzelnd auf die Arme – als verdienten sie Schelte, weil sie so mager waren, genau wie kleine, verkümmerte Ästchen – und begann den Fußboden aufzuwischen.

»Hör auf mit der Planscherei, solange ich hier bin!« schalt der MANN. »Und sieh zu, daß das Baby nicht mehr schreit – das hat's schon die ganze Nacht getan!«

Das KIND nahm das Baby auf den Schoß und wiegte es.

»Ts-ts-ts!« machte das KIND. »Er bekommt einen Augenzahn, deshalb muß er so schreien. *Und* sabbern! Ich hab' noch nie ein Baby gesehen, das so sabbert!« Sie wischte ihm Mund und Nase mit ihrem Rockzipfel ab. »Manche Babies zahnen, ohne daß man's merkt«, fuhr sie fort, »und manche stellen sich die ganze Zeit so an. Ich hab' mal von einem Baby gehört, das gestorben war, und seine Zähne waren alle in seinem Magen.«

Der MANN stand auf, holte sein Cape vom Haken an der Tür und warf es sich um.

»Es kommt noch einer!« sagte er.
»Was? Noch ein Zahn?« rief das KIND, schreckte zum erstenmal an diesem Morgen aus der furchtbaren Schwere und fuhr mit dem Finger in den Mund des kleinen Jungen.
»Nein«, sagte er grimmig, »noch ein kleiner Junge! Scher dich jetzt an die Arbeit, es wird Zeit, daß die andern aufstehen und in die Schule gehen!« Einen Augenblick stand sie ganz stumm da, hörte seine schweren Schritte im Flur, dann auf dem Kiesweg, und schließlich das Zuschmettern der Gartenpforte.
»Noch ein Baby! Will sie denn noch nicht aufhören, welche zu kriegen?« dachte das KIND. »Zwei Babies, die Augenzähne bekommen, zwei Babies, für die man nachts aufstehen muß, zwei Babies, die man rumtragen muß und deren verdreckte kleine Sachen man waschen muß!« Sie blickte voller Grauen auf den kleinen Jungen in ihren Armen, der anscheinend den Ekel und Abscheu ihrer müden Blicke verstand, denn er ballte die Fäuste, versteifte seinen Körper und begann laut zu brüllen.
»Ts-ts-ts!« Sie legte ihn auf die Bank und machte sich wieder ans Aufwischen des Fußbodens. Er hörte nicht eine Sekunde auf zu brüllen, aber sie gewöhnte sich allmählich daran, und ihr Schrubber schlug den Takt dazu. Oh, wie müde sie war! Oh, der schwere Schrubber und die brennende Stelle hinten auf ihrem Hals, die so weh tat, und das komische Zucken unter ihrem Gürtel – als ob etwas durchbrechen wollte.
Die Uhr schlug sechs. Sie setzte den Milchtopf auf den Herd und ging ins Nebenzimmer, um die drei Kinder zu wecken und anzuziehen. Anton und Hans lagen wie in gegenseitiger Zuneigung umschlungen, die bestimmt niemals vorhanden war, ausgenommen dann, wenn sie schliefen. Lena lag zusammengerollt da, die Knie bis zum Kinn hinaufgezogen, und nur ein starrer, aufrecht stehender Zopf schaute aus dem Federbett.
»Steht auf!« rief das KIND mit einer mächtig gebieterischen Stimme, zog ihnen die Bettdecke weg und gab den Jungen ein paar Knüffe und Rippenstöße. »Seit einer halben Stunde

weck' ich euch schon! Es ist spät, und wenn ihr euch nicht sofort anzieht, sag' ich's weiter!«
Anton war wach genug, um sich umzudrehen und Hans in eine empfindliche Gegend zu stoßen, woraufhin Hans an Lenas Zopf zerrte, bis sie nach ihrer Mutter schrie.
»Oh, sei bloß still!« flüsterte das KIND. »Steht bloß auf und zieht euch an! Ihr wißt doch, was euch blüht! Wartet, ich helf' euch!«
Aber die Warnung kam zu spät. Die FRAU stieg aus dem Bett, ging mit resolutem Schritt in die Küche und kehrte mit einem Reisigbündel zurück, das mit einer starken Schnur zusammengebunden war. Sie legte sich ein Kind nach dem andern übers Knie, gab jedem eine gehörige Tracht Prügel und verausgabte eine letzte Kraftanstrengung an das KIND-DAS-MÜDE-WAR; dann ging sie wieder ins Bett, erfüllt von dem angenehmen Gefühl, für den heutigen Tag ihre mütterlichen Pflichten absolviert zu haben. Die drei Kinder waren jetzt ganz kleinlaut und ließen sich anziehen und waschen, und auch den Knaben schnürte das KIND die Stiefel zu; aus Erfahrung wußte es, daß sie sonst mindestens fünf Minuten in der Küche herumhopsen würden, um eine bequeme Stütze für den Fuß zu suchen, und daß sie schließlich in die Hände spucken und die Schnürsenkel zerreißen würden.
Während sie ihnen das Frühstück hinstellte, lärmten sie wieder, und das Baby hörte nicht auf zu weinen. Nachdem sie den Blechtopf mit Milch gefüllt und den Gumminuckel über die Flasche gestülpt hatte, befeuchtete sie ihn und versuchte mit kleinen Schmeichelworten, den Jungen zum Trinken zu überreden, doch er warf die Flasche auf den Boden und zitterte am ganzen Leibe.
»Böse Zähne?« schrie Hans und schlug Anton mit seiner leeren Tasse auf den Kopf. »Warum nicht gleich den bösen Blick?«*
»Klugscheißer!« entgegnete Lena und streckte ihm die Zun-

* *Englisches Wortspiel: Augenzahn und böser Blick (Eyeteeth and Evil Eye).*

ge heraus, und als er es umgehend ebenso machte, schrie sie aus Leibeskräften: »Mutter, Hans schneidet mir Fratzen!«
»Ja, ja, ja!« sagte Hans. »Heule du nur, und wenn du heute nacht im Bett liegst, warte ich, bis du eingeschlafen bist, und dann krieche ich zu dir ran und nehm' ein winziges Stück Haut von deinem Arm und dreh's rum, immer weiter rum, bis ...« Er beugte sich vor und schnitt Lena die greulichsten Fratzen, ohne zu merken, daß Anton hinter seinem Stuhl stand – bis der Kleine sich plötzlich vorbeugte und seinem Bruder auf den kurzgeschorenen Kopf spuckte.
»O je! O je!«
Das KIND-DAS-MÜDE-WAR stieß und zerrte sie auseinander, verpackte sie in ihre Mäntel und jagte sie aus dem Haus.
»Eilt euch! Eilt euch! Es hat schon zum zweitenmal geläutet«, drängte sie, wußte aber ganz genau, daß sie ihnen etwas vorlog, und das machte ihr Spaß. Sie spülte das Frühstücksgeschirr ab und ging dann in den Keller hinunter, um die Kartoffeln und die Rüben zu verlesen.
Was für ein komischer, kalter Winkel der Kohlenkeller war! Die Kartoffeln waren in der einen Ecke aufgeschichtet, die Runkelrüben lagen in einer alten Holzkiste, und ein wirrer Haufen von Dahlienwurzeln sah aus, als rauften sie miteinander, dachte das KIND.
Sie sammelte die Kartoffeln in ihren Rock ein und suchte die großen mit nur wenig Augen aus, weil sie leichter zu schälen waren, und als sie sich im stillen Keller über den dumpfen Kartoffelhaufen beugte, begann sie einzunicken. »He, du! Was machst du da unten?« rief die Frau von der obersten Treppenstufe. »Das Baby ist von der Bank runtergefallen und hat 'ne faustgroße Beule über dem Auge. Komm du mir bloß her, dann kannst du was erleben!«
»Ich bin nicht schuld! Ich bin nicht schuld!« schrie das KIND, während es im Flur von einer Seite auf die andre geknufft wurde, so daß ihr die Kartoffeln und Rüben aus dem Rock kullerten. Die FRAU erschien ihr so groß wie eine Riesin, und alle ihre Bewegungen hatten so etwas Wuchtiges an sich, das einem so kleinen Menschenkind Entsetzen einflößen mußte.

»Setz dich in die Ecke! Putz das Gemüse und spül's ab, und bring das Baby zur Ruhe – ich muß jetzt die Wäsche besorgen.«
Sie gehorchte wimmernd, doch das Baby zur Ruhe zu bringen, war unmöglich. Sein Gesicht war erhitzt, und kleine Schweißtropfen bedeckten den ganzen Kopf; es versteifte den Körper und schrie. Sie hielt das Baby auf den Knien, daneben standen ein Becken mit kaltem Wasser für das geputzte Gemüse und der Schmutzeimer für den Abfall.
»Ts-ts-ts!« summte sie, schälte Kartoffeln und stach die Augen aus. »Bald haben wir noch eins, und ihr könnt doch nicht beide dauernd weinen! Warum willst du nicht schlafen, Baby? Ich tät's, wenn ich du wäre! Ich will dir meinen Traum erzählen! Es war einmal eine kleine weiße Straße ...«
Sie warf den Kopf in den Nacken. Ein Kloß würgte sie in der Kehle, und dann rannen ihr die Tränen übers Gesicht und aufs Gemüse.
»So geht's aber nicht«, sagte das KIND und schüttelte die Tränen ab. »Hör auf zu weinen, Baby, bis ich hier fertig bin, dann trag' ich dich spazieren!«
Aber als es soweit war, wollte die FRAU, daß sie die Wäsche auf die Leine hängte. Es hatte zu stürmen begonnen, und als sie so auf den Zehenspitzen im Hof stand, war ihr fast, als würde sie fortgeblasen. Aus dem Entenverschlag, wo das Wasser fast zu Jauche geworden war, wehte ein widerlicher Gestank zu ihr hin, doch drüben auf der Wiese sah sie das Gras wie grüne Härchen wehen. Und sie erinnerte sich, von einem Kind gehört zu haben, das einmal einen ganzen Tag lang in genau so einer Wiese gespielt und zum Mittagessen richtige Wurst und Bier bekommen hatte und kein bißchen müde war. Wer hatte ihr die Geschichte erzählt? Sie konnte sich nicht mehr erinnern, und doch war sie so leicht zu behalten.
Die nassen Wäschestücke klatschten ihr ins Gesicht, als sie sie mit den Klammern feststeckte; sie tanzten und zappelten auf der Leine und bauschten sich auf und drehten sich. Mit schleppenden Schritten ging sie – sehnsüchtig auf das Gras zurückblickend – wieder ins Haus.

»Bitte, was soll ich jetzt tun?« fragte sie.
»Mach die Betten und hänge die Babymatratze aus dem Fenster, dann nimm den Kinderwagen und fahr den Jungen ein bißchen auf der Straße spazieren! Aber vor dem Haus, hörst du – wo ich dich sehen kann! Sperr nicht Mund und Nase auf! Und wenn ich dich rufe, kommst du rein und hilfst mir den Salat schneiden.«
Als das Kind die Betten gemacht hatte, stand sie da und betrachtete sie. Sanft strich sie mit der Hand über das Kissen, und dann legte sie – nur für einen kurzen Augenblick – ihren Kopf darauf. Wieder stieg ihr der würgende Kloß in die Kehle, und die dummen Tränen sprangen ihr in die Augen und tropften herunter, während sie das Baby anzog und den kleinen Wagen auf der Straße hin und her schob.
Ein Mann kam mit einem Ochsenwagen vorbei. Er hatte eine lange seltsame Feder am Hut stecken, und im Weitergehen pfiff er. Zwei Mädchen mit Bündeln über der Schulter kamen aus dem Dorf – die eine trug ein rotes Kopftuch, die andre ein blaues. Sie lachten und hatten sich bei der Hand gefaßt. Dann schob die Sonne eine schwere graue Wolkenbank beiseite und verströmte warmes, goldenes Licht über alles.
›Wenn ich die Straße weit genug hinaufginge‹, dachte das KIND-DAS-MÜDE-WAR, ›käme ich vielleicht zu einer kleinen weißen Straße mit hohen schwarzen Bäumen auf beiden Seiten, zu einer kleinen Straße . . .‹
»Salat! Salat!« schrie die Stimme der FRAU aus dem Haus.
Bald kamen die Kinder von der Schule nach Hause, das Mittagbrot wurde gegessen, der MANN nahm sich außer seinem eigenen Anteil am Pudding auch noch den der FRAU, und die drei Kinder bekleckerten sich von oben bis unten, einerlei, was sie aßen. Dann wieder Geschirrabwaschen und wieder Putzen und Babyhüten. So schleppte sich der Nachmittag unfreundlich hin. Die alte Frau Grathwohl kam und brachte der FRAU ein frisches Stück Schweinefleisch, und das KIND hörte, wie sie zusammen klatschten.
»Frau Manda hat gestern abend ihre ›Romreise‹ angetreten und eine Tochter mitgebracht. Und wie geht es *Ihnen*?«

»Heute vormittag mußte ich mich zweimal übergeben«, sagte die FRAU. »Meine Eingeweide sind ganz durcheinander, weil ich zu schnell Kinder bekomme.«
»Wie ich sehe, haben Sie eine neue Hilfe«, bemerkte die alte Mutter Grathwohl.
»Ach, großer Gott«, die Frau senkte die Stimme, »kennen Sie sie denn nicht? Sie ist doch die ›Freigeborene‹ – die Tochter von der Kellnerin im Bahnhof. Ihre Mutter wurde dabei überrascht, wie sie der Kleinen den Kopf in den Waschkrug quetschen wollte, deshalb ist das Kind halb verblödet.«
»Ts-ts-ts!« flüsterte die ›Freigeborene‹ dem Baby zu.
Als es auf den Abend zuging, wußte das KIND-DAS-MÜDE-WAR nicht mehr, wie es gegen die Müdigkeit ankämpfen sollte. Sie hatte Angst, sich hinzusetzen oder stillzustehen. Als sie beim Abendbrot saß, schienen der MANN und die FRAU anzuschwellen und riesengroß zu werden, während sie zu ihnen hinschaute, und dann wurden sie kleiner als Puppen und hatten Stimmchen, die von draußen zu kommen schienen. Als sie das Baby ansah, hatte es auf einmal zwei Köpfe – und dann keinen Kopf mehr. Sogar von seinem Weinen wurde ihr noch schlechter. Wenn sie daran dachte, daß es bald Schlafenszeit war, zitterte sie vor lauter Freude am ganzen Leibe. Doch als es auf acht Uhr zuging war auf der Straße Räderrollen zu hören, und schon kamen Freunde, eine ganze Gesellschaft, um den Abend mit ihnen zu verbringen.
Da hieß es dann: »Setz den Kaffee auf! Bring mir den Zuckernapf!« »Hol die Stühle aus dem Schlafzimmer!« »Deck den Tisch!« Und schließlich schickte die FRAU sie in das Nebenzimmer, wo sie das Baby beruhigen sollte.
Im Emailleuchter brannte ein kleiner Kerzenstumpf. Während sie mit dem Baby hin und her ging, sah sie ihren eigenen großen, breiten Schatten auf der Wand – wie von einer Erwachsenen mit einem erwachsenen Baby. Wie würde es wohl aussehen, wenn sie erst mal zwei Babies trug!
»Ts-ts-ts!« Es war einmal eine kleine weiße Straße, auf der ging sie entlang, und oh!, so große schwarze Bäume standen auf beiden Seiten!

»He, du!« rief die Stimme der FRAU. »Bring mir meine neue Jacke von hinter der Tür!«
Und als sie sie ins warme Zimmer brachte, sagte die eine Frau: »Sie sieht wie eine Eule aus! Solche Kinder sind selten ganz richtig im Kopf.«
»Warum kannst du das Baby nicht zur Ruhe bringen?« rief der MANN, der gerade so viel Bier getrunken hatte, daß er sich sehr mutig und als Hausherr vorkam.
»Wenn du das Baby nicht zur Ruhe bringst, kannst du nachher was erleben!«
Sie lachten laut heraus, als sie wieder ins Schlafzimmer taumelte.
»Sogar die Jungfrau Maria könnte ihn nicht zur Ruhe bringen«, murmelte sie. »Ob Jesus auch so geweint hat, als er klein war? Wenn ich nicht so müde wäre, könnte ich's vielleicht, aber das Baby weiß bestimmt, daß ich schlafen will. Und nun soll's noch eins geben!«
Sie schleuderte das Baby aufs Bett und stand davor und betrachtete es voller Grauen.
Aus dem nächsten Zimmer drang Gläsergeklirr und warmes Lachen zu ihr herüber. Und plötzlich hatte sie einen herrlichen, einen wunderbaren Einfall.
Zum erstenmal an diesem Tag lachte sie und klatschte in die Hände.
»Ts-ts-ts!« sagte sie. »Lieg nur da, dummes Ding! Du wirst nicht mehr schreien und in der Nacht aufwachen. Komisches, häßliches kleines Baby!«
Der kleine Junge schlug die Augen auf, und beim Anblick des KINDES-DAS-MÜDE-WAR schrie er aus Leibeskräften. Sie hörte, wie die FRAU aus dem Nebenzimmer nach ihr rief.
»Gleich, gleich!« rief sie. »Er schläft schon beinah!«
Und dann kam sie leise auf Zehenspitzen und lächelnd mit dem roten Kissen vom Bett der FRAU an, deckte das Gesicht des Babys damit zu und drückte mit aller Kraft, als er sich wehrte — ›wie eine Ente zappelt, die keinen Kopf mehr hat‹, dachte sie.
Sie stieß einen tiefen Seufzer aus; dann fiel sie und wander-

te wieder die kleine weiße Straße mit den hohen schwarzen Bäumen auf beiden Seiten entlang, eine kleine Straße, die nirgends hinführte und wo niemand ging – gar niemand ging.

»Glauben Sie, wir könnten sie bitten, mitzukommen?« fragte Fräulein Elsa, während sie ihre rote Schärpe vor meinem Spiegel neu knotete. »Ich bin nämlich ganz überzeugt, daß sie einen heimlichen Kummer hat, auch wenn sie so intellektuell ist. Und heute früh, als Lisa mein Zimmer aufräumte, hat sie mir erzählt, daß sie stundenlang für sich allein dasitzt und schreibt, ja Lisa behauptet, sie schreibe ein Buch! Deshalb hat sie vermutlich nie Lust, sich mit uns abzugeben, und deshalb hat sie für ihren Mann und das Kind sowenig Zeit!«

»Sie können sie ja fragen«, sagte ich. »Ich habe noch nie mit der Dame gesprochen.«

Elsa wurde ein wenig rot. »Ich habe nur einmal mit ihr gesprochen«, gestand sie. »Ich wollte einen Strauß Wiesenblumen in ihr Zimmer stellen, und sie kam an die Tür – mit offenen Haaren und einem weißen Gewand. Ich werd's nie vergessen! Sie nahm mir nur die Blumen ab, und dann hörte ich sie, weil die Tür nicht richtig geschlossen war, wie sie auf dem Flur hin- und herging und sagte: ›Reinheit! Duft! Duft der Reinheit und Reinheit des Dufts!‹ Es war wundervoll!«

In diesem Augenblick klopfte Frau Kellermann an meine Tür. »Sind Sie fertig?« fragte sie, kam in mein Zimmer und nickte uns sehr freundlich zu. »Die Herren warten schon auf der Treppe draußen, und ich habe die Fortschrittliche Dame gebeten, mitzukommen!«

»Oh, wie phantastisch!« rief Elsa. »Gerade in diesem Moment haben die gnädige Frau und ich überlegt, ob ...«

»Ja, ich traf sie, als sie aus ihrem Zimmer kam, und sie sagte, sie fände den Gedanken entzückend. Sie ist noch nie in Schlingen gewesen, wie wir alle nicht. Jetzt ist sie unten und spricht mit Herrn Erchardt. Ich glaube, es wird ein reizender Nachmittag werden!«

»Wartet Fritzi auch?« fragte Elsa.

»Natürlich, liebes Kind – so ungeduldig wie ein hungriger

Mann, der auf das Zeichen zum Mittagessen wartet. Laufen Sie nur!«

Elsa lief, und Frau Kellermann lächelte mir bedeutungsvoll zu. In der letzten Zeit hatten Frau Kellermann und ich nur selten miteinander gesprochen, vor allem wegen der Tatsache, daß es ›ihrer einzigen ihr verbliebenen Freude‹ – ihrem reizenden Karlchen – nicht gelungen war, gewisse mütterliche Gefühle, die als Funken sonder Zahl auf dem Altar jedes achtbaren Frauenherzens glimmen sollten, bei mir zur lodernden Flamme anzufachen; doch angesichts des geplanten gemeinsamen Ausflugs waren wir hinreißend nett miteinander.

»Für uns«, sagte sie, »ist es eine doppelte Freude! Wir können das Glück der beiden lieben Kinder miterleben – ich spreche von Elsa und Fritz. Gestern früh haben sie einen Brief von ihren Eltern erhalten, daß sie einverstanden seien. Es ist sehr sonderbar, aber sobald ich in der Gesellschaft von Jungverlobten bin, blühe ich auf. Jungverlobte Paare, junge Mütter mit ihrem ersten Kind und normale Sterbebetten haben alle dieselbe Wirkung auf mich. – Wollen wir zu den andern gehen?«

Ich hätte sie gar zu gern gefragt, weshalb ›normale‹ Sterbebetten jemanden zum Aufblühen bringen können, sagte aber nur: »Ja, gehen wir!«

Auf der Treppe unsrer Pension wurden wir von der kleinen Gruppe von Kurgästen mit den bekannten, aufgeregten Freudenrufen begrüßt, die auch den harmlosesten deutschen Ausflug so liebenswürdig ankündigen. Herr Erchardt und ich waren uns bis dahin noch nicht begegnet, deshalb fragten wir einander – in Übereinstimmung mit genau festgelegten Pensionsgepflogenheiten –, wie lange wir in der letzten Nacht geschlafen hätten, ob wir angenehm geträumt hätten, wann wir aufgestanden seien, ob der Kaffee, als wir beim Frühstück erschienen, heiß gewesen sei, und wie wir den Vormittag verbracht hätten. Nachdem wir uns diese Stufenleiter fast nationaler Höflichkeit hinaufgemüht hatten, liefen wir triumphierend und lächelnd durchs Ziel und machten eine Pause, um Atem zu schöpfen.

»Und jetzt«, sagte Herr Erchardt, »habe ich eine freudige Überraschung für Sie! Die Frau Professor will sich uns heute nachmittag anschließen!« Er nickte der Fortschrittlichen Dame leutselig zu: »Erlauben Sie mir, Sie miteinander bekannt zu machen!«
Wir verneigten uns sehr formell und musterten einander mit dem sattsam bekannten Adlerauge, das aber weit eher ein Merkmal der Frauen als der niemals Ärgernis erregenden Vögel ist. »Ich nehme an, daß Sie Engländerin sind?« sagte sie. Ich bestätigte es. »Ich lese gerade sehr viele englische Bücher — oder vielmehr, ich studiere sie.«
»Oh«, rief Herr Erchardt, »ist es zu glauben? Schon etwas Gemeinsames gefunden! Ich habe mich entschlossen, vor meinem Tode Shakespeare in seiner Muttersprache kennenzulernen — aber daß auch Sie, Frau Professor, bereits in diesen Bronnen englischen Geistes eingetaucht sind!«
»Nach dem, was ich gelesen habe«, entgegnete sie, »halte ich ihn nicht für einen sehr tiefen Bronnen!«
Er nickte verständnisinnig.
»Stimmt«, antwortete er, »das habe ich auch vernommen... Aber wir wollen unsrer kleinen englischen Freundin nicht den Ausflug vergällen. Wir können uns ein andermal darüber unterhalten.«
»Also wie ist's, sind wir bereit?« fragte Fritz, der am Fuß der Treppe stand und Elsas Ellbogen mit seiner Handmuschel stützte. Sofort entdeckte man, daß Karl abhanden gekommen war.
»Ka-rell! Karl-chen!« riefen wir. Keine Antwort.
»Aber vor einer Minute war er noch hier«, sagte Herr Langen, ein müder, bleicher Jüngling, der sich von einem Nervenzusammenbruch infolge von zuviel Philosophie und zuwenig Essen erholte. »Hier hat er gesessen und mit einer Haarnadel das Getriebe aus seiner Uhr herausgestochert.«
Frau Kellermann fiel über ihn her: »Wollen Sie etwa behaupten, mein lieber Herr Langen, daß Sie dem Kind nicht Einhalt geboten haben?«
»Stimmt«, sagte Herr Langen. »Ich hab's früher schon versucht, ihm Einhalt zu gebieten.«

»Ja, das Kind hat eine unerhörte Energie; sein Gehirn kommt nie zur Ruhe. Wenn er nicht dies macht, dann macht er jenes!«

»Vielleicht hat er sich jetzt an die Eßzimmeruhr herangemacht«, meinte Herr Langen mit abscheulicher Vorfreude.

Die Fortschrittliche Dame schlug vor, daß wir ohne ihn gehen sollten. »Ich nehme mein Töchterchen nie auf Ausflüge mit«, sagte sie. »Ich habe ihr angewöhnt, vom Augenblick an, wo ich ausgehe und bis ich wieder zurückkehre, ruhig in meinem Schlafzimmer zu sitzen.«

»Da ist er ja! Da ist er ja!« piepste Elsa, und alle beobachteten, wie Karl – sehr zum Schaden der Zweige – eine Kastanie hinunterrutschte.

»Ich habe gehört, was du über mich gesagt hast, Mumma«, bekannte er, während Frau Kellermann ihn abputzte. »Das mit der Uhr ist gar nicht wahr! Ich habe sie bloß angeschaut – und das kleine Mädchen bleibt nie im Schlafzimmer sitzen. Sie hat mir selber gesagt, daß sie immer in die Küche runtergeht, und ...«

»Also das genügt jetzt«, sagte Frau Kellermann.

Wir marschierten *en masse* die Bahnhofstraße entlang. Es war ein sehr warmer Nachmittag, und dauernd riefen uns Gruppen andrer Kurgäste nach, die in den Pensionsgärten ihrer Verdauung mit etwas frischer Luft nachhalfen; sie fragten, ob wir spazierengehen wollten, und als wir unser Ziel, Schlingen, nannten, riefen sie mit ungeheurem, schlecht verhehltem Vergnügen: »Ach herrje! Gute Reise!«

»Das sind aber acht Kilometer!« schrie ein alter Mann mit weißem Bart, der sich gegen einen Zaun lehnte und sich mit einem gelben Taschentuch Luft zufächelte.

»Siebeneinhalb!« antwortete Herr Erchardt barsch.

»Acht!« brüllte der Weiße.

»Siebeneinhalb!«

»Acht!«

»Der Mann ist verrückt«, erklärte Herr Erchardt.

»Also gut, dann lassen Sie ihn in Frieden verrückt sein«, sagte ich und hielt mir die Ohren zu.

»Solche Unwissenheit darf man nicht unwidersprochen

durchgehen lassen«, sagte er, kehrte uns den Rücken zu und hielt siebeneinhalb Finger hoch, denn er war zu abgekämpft, um noch länger zu schreien.

»Acht!« donnerte der Graubart mit jugendlicher Frische. Wir waren sehr ernüchtert und lebten erst wieder auf, als wir an einen weißen Wegweiser kamen, der uns ersuchte, die Landstraße zu verlassen und auf dem Feldweg weiterzugehen, ohne das Gras mehr als unbedingt nötig zu zertrampeln. Verdolmetscht bedeutete es: ›Im Gänsemarsch gehen‹, und das war für Elsa und Fritz niederschmetternd. Karl tollte voraus, glücklich, wie es Kinder sind, und köpfte mit dem Sonnenschirm seiner Mutter alle Blumen, die er erreichen konnte. Hinter ihm kamen die drei andern, dann ich, und die beiden Verliebten beschlossen den Zug. Und außer den Gesprächen der Vorausabteilung durfte ich folgendes köstliche Getuschel mitanhören: Fritz: »Liebst du mich?« Elsa: »Ja!« Fritz, leidenschaftlich: »Aber wie sehr?« Darauf entgegnete Elsa nichts weiter als: »Wie sehr liebst du mich denn?«

Fritz entging der wahrhaft menschenfreundlichen Falle, indem er sagte: »Ich habe dich zuerst gefragt!«

Es war so verwirrend, daß ich nach vorne ausbrach und vor Frau Kellermann einherwanderte — in friedvollem Wissen, daß sie ›aufgeblüht‹ war und daß ich in keiner Weise verpflichtet war, selbst meine liebsten und nächsten Menschen über den genauen Grad meiner Zuneigung zu ihnen zu unterrichten. ›Mit welchem Recht stellen sie einander am Tage, nach dem sie Briefe mit dem Einverständnis ihrer Eltern erhalten haben, noch derartige Fragen? Mit welchem Recht stellen sie einander überhaupt derartige Fragen?‹ dachte ich. ›Durch Verlobung und Heirat wird eine Liebesaffäre zu einer durchaus bestätigten Angelegenheit — sie aber maßen sich die Vorrechte der ihnen Überlegenen und Einsichtigeren an.‹

Der Saum des Feldes schmiegte sich wie eine Halskrause an den riesigen Tannenwald, der sehr verlockend und kühl aussah. Ein neuer Wegweiser bat uns, den breiten Weg nach Schlingen einzuschlagen und Abfallpapier und Obstschalen

in die zu diesem Zweck an den Bänken befestigten Drahtbehälter zu deponieren. Wir setzten uns auf die erste Bank, und Karl erforschte mit großer Wißbegier den Drahtbehälter.
»Ich liebe den Wald«, sagte die Fortschrittliche Dame und lächelte kläglich in die Luft. »In einem Wald scheint sich mein Haar sofort zu regen und sich seines unzivilisierten Ursprungs zu erinnern.«
»Aber auch wörtlich genommen«, sagte Frau Kellermann nach einer verständnisvollen Pause, »gibt es für die Kopfhaut bestimmt nichts Besseres als die Luft im Tannenwald!«
»Oh, Frau Kellermann«, sagte Elsa, »bitte zerstören Sie uns nicht die Magie!«
Die Fortschrittliche Dame blickte sie sehr wohlwollend an. »Haben auch Sie das magische Herz der Natur entdeckt?« sagte sie.
Das war für Herrn Langen das gegebene Stichwort. »Die Natur hat kein Herz«, sagte er sehr bitter und ohne zu zögern, wie es Menschen tun, die unterernährt, aber mit Philosophie überfüttert sind. »Sie erschafft, damit sie zerstören kann. Sie verschlingt, damit sie ausspeien kann, und sie speit aus, damit sie verschlingen kann. Deshalb halten wir, die wir gezwungen sind, unter ihren trampelnden Füßen ein kümmerliches Dasein zu führen, die Welt für wahnsinnig und erkennen die mörderische Pöbelhaftigkeit der Erzeugung.«
»Junger Mann«, unterbrach ihn Herr Erchardt, »Sie haben nie gelebt und nie gelitten!«
»O Verzeihung, woher wollen Sie das wissen?«
»*Ich* weiß es, weil Sie es mir erzählt haben, und damit basta! Kommen Sie nach zehn Jahren wieder zu dieser Bank her und wiederholen Sie mir Ihre Worte«, sagte Frau Kellermann, einen Blick auf Fritz werfend, der sich mit leidenschaftlicher Inbrunst bemühte, Elsas Finger zu zählen, »und bringen Sie Ihre junge Frau mit und beobachten Sie vielleicht Ihr spielendes Kindchen . . .« Sie drehte sich zu Karl um, der eine alte Illustrierte aus dem Drahtkorb ausgegraben hatte und die Anzeige eines Mittels zur Erlangung eines ›prachtvollen Busens‹ buchstabierte.

Der Satz blieb unbeendet. Wir beschlossen weiterzugehen. Als wir tiefer in den Wald eindrangen, hoben sich unsere Lebensgeister und erklommen einen Punkt, wo sie – auf seiten der drei Herren – in ein Lied ausbrachen: »O Welt, wie bist du wunderbar!« –, dessen zweite Stimme gellend von Herrn Langen gehalten wurde, der sich völlig erfolglos bemühte, sie entsprechend seiner ›Weltanschauung‹ mit Ironie zu tränken. Sie schritten voraus und ließen uns – heiß und glücklich – hinterherzotteln.

»Jetzt ist die Gelegenheit da«, sagte Frau Kellermann. »Liebe Frau Professor, erzählen Sie uns ein wenig von Ihrem Buch!«

»Oh, woher wußten Sie, daß ich ein Buch schreibe?« rief sie neckisch.

»Elsa hat es von Lisa erfahren. Und ich persönlich bin noch nie einer Frau begegnet, die ein Buch schreibt. Wie machen Sie es nur, genug zusammenzubringen, um es aufzuschreiben?«

»Das ist nicht das Problem«, antwortete die Fortschrittliche Dame – sie nahm Elsas Arm und stützte sich darauf. »Das Problem ist, zu wissen, wann man aufhören muß. Mein Gehirn ist seit Jahren ein Bienenstock gewesen, und vor ungefähr drei Monaten sind die aufgestauten Gewässer über meine Seele hereingebrochen, und seither schreibe ich den ganzen Tag bis spät in die Nacht hinein und habe immer weiter meine Inspirationen und Gedanken, die mit ungeduldigen Schwingen mein Herz bedrängen.«

»Ist es ein Roman?« fragte Elsa scheu.

»Natürlich ist es ein Roman!« sagte ich.

»Wie können Sie das mit solcher Bestimmtheit behaupten?« fragte Frau Kellermann und faßte mich streng ins Auge.

»Weil nichts als ein Roman eine derartige Wirkung hervorrufen kann!«

»Ach, streiten Sie nicht!« sagte die Fortschrittliche Dame anmutig. »Ja, es ist ein Roman. Über die moderne Frau. Denn mir scheint, es ist die Stunde der Frau. Er ist geheimnisvoll und beinah prophetisch, das Symbol der wahrhaft emanzipierten Frau. Sie ist keins von jenen wilden Geschöpfen, die

ihr Geschlecht leugnen und ihre zerbrechlichen Schwingen unter . . . unter . . .«
». . . dem englischen Schneiderkostüm ersticken?« half Frau Kellermann ihr.
»So wollte ich es nicht ausdrücken. Eher: unter der verlogenen Tracht falscher Männlichkeit!«
»Was für eine subtile Differenziertheit!« murmelte ich.
»Wen also«, fragte Fräulein Elsa und himmelte die Fortschrittliche Dame an, »wen halten Sie für eine wahre Frau?«
»Sie ist die Inkarnation der allumfassenden Liebe!«
»Aber meine liebe Frau Professor«, wandte Frau Kellermann ein, »Sie müssen bedenken, daß man heutzutage so selten Gelegenheit hat, im häuslichen Kreis Liebe zu entfalten! Der Ehemann ist den ganzen Tag im Geschäft und möchte natürlich schlafen, wenn er nach Hause kommt, und die Kinder sind einem vom Schoß gehüpft und in der Universität, bevor man sie auch nur die Spur mit Liebe überhäufen kann!«
»Aber Lieben ist nicht gleichbedeutend mit Überhäufen«, sagte die Fortschrittliche Dame. »Liebe ist die im Busen gehegte Lampe, und ihr stiller Strahl berührt alle Höhen und Tiefen des . . .«
». . . dunkelsten Afrika«, murmelte ich vorlaut.
Sie hörte es nicht.
»Der Fehler, den wir in der Vergangenheit gemacht haben – wir als geschlechtliche Wesen«, sagte sie, »besteht darin, nicht erkannt zu haben, daß unser Talent zu geben für die ganze Welt gemeint ist – wir sind die freudigen Opfergaben unser selbst!«
»Oh«, rief Elsa hingerissen und keuchte, beinah platzend vor Gebefreudigkeit, »wie ich das verstehe! Seit nämlich Fritz und ich verlobt sind, verzehrt mich der Wunsch, jedermann zu geben und an allem teilhaben zu lassen!«
»Wie furchtbar gefährlich!« sagte ich.
»Es ist nur die Schönheit der Gefahr – oder die Gefahr der Schönheit«, sagte die Fortschrittliche Dame, »und damit haben Sie den Leitgedanken meines Buches: daß die Frau nichts anderes als eine Gabe ist.«
Ich lächelte ihr ganz süß zu. »Ich würde nämlich auch gern

ein Buch schreiben«, sagte ich, »ein Buch über die Ratsamkeit, sich um seine Töchter zu kümmern und sie an die frische Luft zu führen und sie von der Küche fernzuhalten!«
Ich glaube, das männliche Element muß diese zornigen Schwingungen gespürt haben: die Herren hörten auf zu singen, und gemeinsam verließen wir den Wald und sahen tief unter uns, in ein Nest aus Hügeln geschmiegt, die Ortschaft Schlingen mit ihren im Sonnenschein leuchtenden weißen Häusern. »Wie lauter Eier in einem Vogelnest!« meinte Herr Erchardt. Wir stiegen nach Schlingen hinunter und bestellten in der Wirtschaft ›Zum Goldenen Hirschen‹ saure Milch und frische Sahne und Brot. Es war eine sehr nette Wirtschaft mit Tischen in einem Rosengarten, wo Hühner und Küken aufgeregt herumliefen und sogar auf die nicht besetzten Tische flatterten und an den roten Karos der Tischdecken pickten. Wir brockten das Brot in die Schüsselchen, gossen die Sahne darüber und rührten das Ganze mit flachen Holzlöffeln um, während der Wirt und seine Frau uns zuschauten.
»Herrliches Wetter!« rief Herr Erchardt, seinen Holzlöffel schwenkend, dem Wirt zu, doch der zuckte nur die Achseln.
»Wie? Nennen Sie's etwa nicht herrlich?«
»Wenn Sie so wollen«, antwortete der Wirt, der uns offenbar ablehnte.
»So ein himmlischer Spaziergang!« sagte Fräulein Elsa, und gebefreudig bedachte sie die Wirtin mit ihrem reizendsten Lächeln.
»Ich gehe nie spazieren«, sagte die Wirtin. »Wenn ich nach Mindelbau will, fährt mein Mann mich hin – ich hab' mit meinen Beinen Wichtigeres zu tun, als durch den Staub zu waten.«
»Mir gefallen diese Leute«, gestand mir Herr Langen. »Mir gefallen sie außerordentlich. Ich werde mir wohl hier für den ganzen Sommer ein Zimmer nehmen!«
»Warum?«
»Oh, weil sie der Erde so nah verbunden sind und sie deshalb verachten.«
Er schob sein Schüsselchen Sauermilch von sich weg und zün-

dete sich eine Zigarette an. Wir aßen reichlich und ernst, bis sich die siebeneinhalb Kilometer nach Mindelbau wie eine Ewigkeit vor uns ausdehnten. Sogar Karl mit seinem Ungestüm war so gesättigt, daß er sich auf die Erde legte und seinen Ledergürtel abschnallte.
Elsa beugte sich plötzlich zu Fritz hinüber und flüsterte ihm etwas zu, und nachdem er sie bis zu Ende angehört und sie dann gefragt hatte, ob sie ihn liebe, stand er auf und hielt eine kleine Ansprache.
»Wir ... wir möchten unsre Verlobung mit einer Einladung an Sie alle feiern, mit uns im Wagen des Wirts heimzufahren – falls – falls wir alle hineinpassen.«
»Oh, was für ein wunderbarer, nobler Einfall!« rief Frau Kellermann und stieß einen Seufzer der Erleichterung aus, der zwei ihrer Korsetthaken hörbar sprengte.
»Das ist meine kleine Gabe«, sagte Elsa zu der Fortschrittlichen Dame, die beinah Tränen der Dankbarkeit vergoß, denn sie hatte drei Portionen gegessen.
In den Bauernwagen gezwängt und vom Wirt kutschiert, der seine Verachtung für Mutter Erde durch gelegentliches heftiges Ausspucken zu erkennen gab, ruckelten wir wieder nach Hause, und je mehr wir uns Mindelbau näherten, desto mehr liebten wir es und uns.
»Derartige Ausflüge müssen wir noch oft unternehmen«, sagte Herr Erchardt zu mir, »denn im Freien, in der einfachen, ländlichen Umgebung lernt man bestimmt die Menschen kennen – man teilt die gleichen Freuden – man hat freundschaftliche Gefühle. Wie sagt doch Ihr Shakespeare? Einen Augenblick, ich habe es gleich! ›Die Freunde, die du besitzt und deren Anhänglichkeit du erprobt hast, die schmiede an deine Seele mit Reifen wie aus Stahl!‹«
»Aber«, wandte ich ein und hegte dabei sehr freundliche Gefühle für ihn, »das Dumme mit meiner Seele ist, daß sie sich weigert, überhaupt irgend jemanden an sich zu schmieden – und ich bin überzeugt, daß die schwere Last eines Freundes, dessen Anhänglichkeit sie erprobt hat, sie umgehend töten würde. Sie hat noch nie das leiseste Anzeichen eines Reifens gezeigt!«

Er stieß gegen meine Knie und bat für sich selbst und für den Wagen um Entschuldigung.
»Meine liebe junge Dame, Sie dürfen das Zitat nicht wörtlich auffassen! Selbstverständlich ist man sich der Reifen nicht körperlich bewußt – doch Reifen sind vorhanden in der Seele des- oder derjenigen, die ihre Mitmenschen lieben ... Nehmen Sie zum Beispiel den heutigen Nachmittag! Wie machten wir uns auf den Weg? Als Fremde, könnte man sagen, und doch – wir alle –, wie sind wir nach Hause gekommen?«
»In einem Ackerwagen!« rief ›die einzige noch verbliebene Freude‹, seekrank auf dem Schoß seiner Mutter sitzend.
Wir fuhren am Rand des Feldes entlang, das wir zu Fuß durchquert hatten, und kamen am Friedhof vorbei. Herr Langen beugte sich über seinen Sitz hinaus und grüßte die Gräber. Er saß neben der Fortschrittlichen Dame – im Schutz ihrer Schulter.
Ich hörte sie murmeln. »Wenn Ihre Haare so im Wind wehen, sehen Sie wie ein kleiner Junge aus.« Herr Langen, nun etwas weniger bitter, sah die letzten Gräber aus seinem Blickfeld entschwinden. Und ich hörte sie murmeln: »Warum sind sie so traurig? Auch ich bin manchmal sehr traurig, aber – Sie sind ja jung genug, daß ich dergleichen zu sagen wage – ich weiß auch um viel Freude!«
»Was wissen Sie?« sagte er.
Ich lehnte mich vor und berührte die Hand der Fortschrittlichen Dame.
»Ist es nicht ein netter Nachmittag gewesen?« sagte ich herausfordernd. »Aber wissen Sie, diese Theorie da, die Sie über Frauen und die Liebe aufgestellt haben – die ist so alt wie Methusalem – ach was, noch älter!«
Von der Straße ertönte plötzlich Triumphgeschrei. Ja, da war er wieder, weißer Bart, seidenes Taschentuch und unbezwingliche Begeisterung.
»Was habe ich gesagt? Acht Kilometer – und so ist es!«
»Siebeneinhalb!« kreischte Herr Erchardt.
»Warum kehren Sie dann auf einem Ackerwagen zurück? Acht Kilometer, und dabei bleibt's!«

Herr Erchardt machte ein Sprachrohr aus seinen Händen und stand im rüttelnden Wagen aufrecht da, während Frau Kellermann seine Knie umklammerte. »Siebeneinhalb!«
»Unwissenheit darf nicht unwidersprochen bleiben«, sagte ich zu der Fortschrittlichen Dame.

Die Vermieterin klopfte an die Tür.
»Herein!« rief Viola.
»Hier ist ein Brief für Sie«, sagte die Vermieterin, »eine Eilzustellung!« Sie hielt den grünen Umschlag mit einem Zipfel ihrer schmuddeligen Schürze fest.
»Danke!« Viola, die auf dem Fußboden kniete und in dem kleinen, staubigen Ofen stocherte, streckte die Hand aus. »Muß ich gleich antworten?«
»Nein. Der Bote ist weggegangen.«
»Dann ist's ja gut.« Sie sah der Vermieterin nicht ins Gesicht; sie schämte sich, weil sie die Miete nicht zahlen konnte, und fragte sich erbittert und ohne Hoffnung, ob die Frau wieder anfangen würde, ihr zu drohen.
»Und das Geld, das Sie mir schulden ...«, sagte die Vermieterin.
›O mein Gott, da geht's wieder los!‹ dachte Viola, kehrte der Frau den Rücken und schnitt dem Ofen eine Grimasse.
»Entweder zahlen Sie's – oder Sie gehen!« Die Vermieterin hob die Stimme. »Ich bin nämlich eine Dame, eine ehrbare Frau, möcht' ich Ihnen mal verraten. Ich dulde keine Läuse in meinem Haus, die sich in den Möbeln einnisten und alles abnutzen! Geld auf den Tisch – oder Sie sind bis morgen um zwölf ausgezogen!«
Viola sah die Gesten der Frau weniger, als daß sie sie spürte. Mit einer törichten, hilflosen Bewegung winkte sie ab – wie wenn ihr plötzlich eine schmutzige Taube ins Gesicht fliegen wollte. ›Das eklige alte Biest! Puh! Und wie sie riecht – wie zerlaufener Käse und nasse Wäsche!‹
»Also gut«, antwortete sie schroff, »entweder die Miete, oder ich ziehe morgen aus! Schon gut – schreien Sie mich nicht an!«
Es war erstaunlich: immer, bevor die Frau in ihre Nähe kam, zitterte sie am ganzen Leibe – schon bei dem bloßen Geräusch, mit dem die Plattfüße die Treppe hinaufgestampft kamen, wurde ihr übel –, aber wenn sie sich dann gegen-

überstanden, war sie vollkommen ruhig und gelassen und konnte nicht verstehen, weshalb sie sich wegen des Geldes Sorgen gemacht hatte oder weshalb sie sich auf Zehenspitzen aus dem Hause stahl und nicht einmal wagte, die Tür hinter sich ins Schloß zu ziehen, aus Angst, die Vermieterin könnte es hören und ihr etwas Scheußliches nachrufen, oder weshalb sie nächtelang in ihrem Zimmer auf und ab wanderte und sich plötzlich vor den Spiegel stellte und ihrem traurigen Spiegelbild zurief: »Geld! Geld! Geld!« Wenn sie allein war, erschien ihre Armut wie ein riesiger Alptraumberg, in dem ihre Füße fest verwurzelt waren und schmerzten – doch wenn es ums Handeln ging und keine Zeit für Phantastereien blieb, dann verkümmerte der Alptraumberg und wurde zu einer widerlichen ›Kneif die Nase zu!‹-Sache, die man so rasch wie möglich und mit Zorn und einem großartigen Überlegenheitsgefühl hinter sich brachte.
Die Vermieterin stürmte aus dem Zimmer und knallte die Tür zu, so daß sie zitterte und ratterte, als hätte sie das Gespräch mit angehört und sei voller Mitgefühl mit der alten Hexe.
Viola öffnete den Brief, noch auf den Fersen hockend. Er war von Casimir.
›Ich komme heute nachmittag um drei zu dir – und muß am Abend wieder weg. Alle Neuigkeiten, wenn wir uns sehen! Hoffentlich bist du glücklicher als ich! – Casimir.‹
»Pffft! Wie freundlich!« spöttelte sie. »Wie leutselig! Wirklich zu gütig von dir!« Sie sprang auf und zerknüllte den Brief in der Hand. »Und woher willst du wissen, ob ich bis drei Uhr nachmittags hierbleibe und auf das Vergnügen deines Besuchs warte?« Aber sie wußte, daß sie warten würde; ihr Zorn war nur zur Hälfte ernst gemeint. Sie sehnte sich danach, Casimir zu sehen, denn sie war voller Zuversicht, daß sie ihm diesmal die Lage begreiflich machen konnte ... »Denn so, wie es jetzt ist, ist's unerträglich – unerträglich!« stammelte sie.
Es war zehn Uhr vormittags, ein grauer Tag, der vom flüchtigen Aufflackern blassen Sonnenscheins seltsam aufgehellt wurde. Sooft die jähe Helligkeit in ihr Zimmer drang, sah es

unaufgeräumt und verschmutzt aus. Sie zog die Markisen herunter – doch dadurch entstand eine anhaltende, weißliche Helle, die ebenso schlimm war. Das einzige, was in dem Zimmer lebte, war ein Glas mit Hyazinthen, das ihr die Tochter der Vermieterin geschenkt hatte: es stand auf dem Tisch und verströmte aus plumpen Blütenkolben einen kränklichen Duft; sogar dicke Knospen entfalteten sich, und die Blätter glänzten wie Öl.
Viola ging zum Waschständer, goß Wasser in das Emailbecken und erfrischte Gesicht und Hals mit dem Schwamm. Dann tauchte sie das ganze Gesicht ein, öffnete im Wasser die Augen und schüttelte den Kopf hin und her: es war lustig! Sie wiederholte es dreimal. ›Wahrscheinlich könnte ich mich ertränken, wenn ich lange genug drin bliebe‹, dachte sie. ›Möchte mal wissen, wie lange es dauert, bis man die Besinnung verliert! Habe schon oft von Frauen gelesen, die sich in einem Eimer ertränkt haben. Möchte mal wissen, ob Luft durch die Ohren eindringen kann – und ob das Becken so tief wie ein Eimer sein müßte.‹ Sie unternahm einen Versuch – umklammerte den Waschständer mit beiden Händen und tauchte den Kopf langsam ins Wasser – da klopfte wieder jemand an die Tür. Diesmal nicht die Vermieterin – es mußte Casimir sein. Mit tropfnassem Gesicht und Haar und einem Leibchen, das nicht zugeknöpft war, lief sie an die Tür und öffnete.
Ein fremder Mann lehnte sich gegen den Türrahmen; als er sie erblickte, riß er die Augen sehr weit auf und lächelte reizend. »Verzeihung, wohnt hier Fräulein Schäfer?«
»Nein – habe noch nie von ihr gehört!« Sein Lächeln war ansteckend, so daß sie auch lächeln wollte – und nach dem Wasser fühlte sie sich so frisch und rosig.
Der fremde Mann schien von Verwunderung überwältigt zu sein. »Nein?« rief er. »Sie meinen wohl, daß sie ausgegangen ist?«
»Nein – hier wohnt sie nicht!« antwortete Viola.
»Aber – Verzeihung – einen Augenblick!« Er rückte vom Türrahmen ab und stellte sich breitbeinig vor sie hin. Er knöpfte seinen Mantel auf und zog einen Papierfetzen aus

der Brusttasche, den er mit seinen behandschuhten Fingern glättete, ehe er ihn Viola reichte.
»Ja, das ist die Straße, die stimmt, aber die Nummer muß falsch sein. Es gibt ja so viele Pensionen hier in der Straße, und so große.«
Wassertropfen fielen aus ihrem Haar auf das Papier. Sie lachte hell auf. »Oh, ich muß furchtbar aussehen—nur einen Augenblick!« Sie lief zum Waschständer und ergriff ein Handtuch. Die Tür stand noch offen . . . Immerhin gab es nichts mehr zu sagen. Weshalb hatte sie ihn denn nur aufgefordert, einen Augenblick zu warten? Sie legte sich das Handtuch um die Schultern und ging wieder—plötzlich sehr ernst — an die Tür. »Bedaure — ich kenne niemand, der so heißt«, sagte sie scharf.
Drauf der Fremde: »Bedaure selber! Wohnen Sie schon lange hier?«
»Hm — ja — schon sehr lange.« Sie begann die Tür langsam zu schließen.
»Also dann guten Morgen und besten Dank! Hoffentlich habe ich Sie nicht gestört!«
»Guten Morgen!«
Sie hörte ihn den Flur entlanggehen und dann stehenbleiben — zündete sich wohl eine Zigarette an. Ja — ein schwacher Hauch köstlichen Zigarettenrauchs drang in ihr Zimmer. Sie schnupperte und lächelte wieder. Also das war wirklich eine interessante Unterbrechung gewesen! Er hatte so erstaunlich zufrieden ausgesehen: die schwere Kleidung und die dicken, zugeknöpften Handschuhe, das wunderschön gebürstete Haar . . . und dann das Lächeln . . . fidel war das richtige Wort — einfach ein gutgenährter junger Mann und die weite Welt sein Tummelplatz! Leute wie der taten einem wohl—bei ihrem Anblick fühlte man sich ›wie neu‹. Normal waren sie, so normal und solide. Man konnte sich drauf verlassen, daß sie vom Tag ihrer Geburt bis zu ihrem Sterbetag nicht eine einzige verrückte Anwandlung hatten. Und das Leben war ihr Verbündeter—sie durften ihm auf dem Schoß tanzen — und mit vollem Recht. Jetzt aber fiel ihr Casimirs Brief ein, der zerknüllt auf dem Fußboden lag, und ihr Lä-

cheln erstarb. Sie starrte auf den Brief und begann dabei ihr Haar zu flechten: ein dumpfes Wutgefühl beschlich sie — sie schien es in ihre Haare hineinzuflechten und es fest auf den Kopf zu stecken ... Natürlich, *das* war die ganze Zeit schuld gewesen. Was denn? Oh, Casimirs schrecklicher Ernst. Wäre sie glücklich gewesen, als sie ihm das erstemal begegnete, hätte sie ihn überhaupt nicht angeschaut — aber sie waren ja wie zwei Patienten im gleichen Krankenhaussaal gewesen — jeder hatte Trost in der Krankheit des andern gesucht — eine reizende Grundlage für ein Liebesverhältnis! Das Unglück hatte ihre Köpfe zusammengebumst: sie hatten einander angeschaut, und verblüfft über den Zusammenprall, hatten sie Mitgefühl empfunden ... ›Ich wünschte, ich könnte mich außerhalb stellen und die ganze Sache von außen beurteilen — dann fände ich einen Ausweg. Bestimmt bin ich in Casimir verliebt gewesen ... Oh, sei doch endlich mal ehrlich!‹ Sie warf sich aufs Bett und vergrub das Gesicht im Kissen. ›Ich war nicht verliebt. Ich brauchte jemand, der sich um mich kümmert und für mich sorgt, bis sich meine Arbeit bezahlt macht — und der mir Ärger mit andern Leuten fernhält. Und was wäre geschehen, wenn ich ihm nicht begegnet wäre? Dann hätte ich mein erbärmliches bißchen Monatsgeld ausgegeben, und dann ... Ja, das hat mir den Anstoß gegeben, daß ich an das ‚und dann' dachte. Er war die einzige Lösung. Und damals habe ich an ihn geglaubt. Ich dachte, seine Arbeiten müßten nur erst einmal anerkannt werden, dann würde er im Geld schwimmen. Ich dachte, wir könnten vielleicht einen Monat lang arm sein — und er sagte, wenn er mich nur hätte, als Anregung ... Komisch, wenn's nicht so verdammt tragisch wäre! Genau das Gegenteil ist eingetroffen — er hat seit Monaten keine Zeile veröffentlicht, ich übrigens auch nicht, aber das hatte ich auch nicht erwartet. Ja, das ist die Wahrheit: ich bin hart und bitter und habe weder Vertrauen noch Liebe für Männer übrig, die erfolglos sind. Es endet immer damit, daß ich sie verachte, wie ich jetzt Casimir verachte. Vermutlich ist es der primitive Stolz des Weibchens, das sich den Mann, an den sie sich verschenkt hat, gerne als einen sehr großen Häuptling vorstellt. Aber

in diesem widerlichen Haus zu verkommen, während Casimir die Stadt abgrast, um eine einzige offene Redaktionstür zu finden – das ist demütigend! Es hat schon mein ganzes Wesen verändert! Ich bin nicht zur Armut geschaffen – ich gedeihe bloß zwischen richtig fidelen Leuten – zwischen Leuten, die niemals Sorgen haben.‹
Das Bild des Fremden stieg vor ihr auf und ließ sich nicht abweisen. ›Das war der richtige Mann für mich, wenn man's bei Licht besieht – ein Mann ohne Sorgen, der mir alles geben würde, das ich haben will, und bei dem ich mich immer springlebendig fühle und mit der Welt versöhnt. Kämpfen wollte ich niemals – das war mir nicht gegeben. Im Grunde steckt ein Quell an Unbeschwertheit in mir, der bei dem jetzigen abscheulichen Leben allmählich eintrocknet. Wenn es so weitergeht, sterbe ich, und dabei . . .‹, sie drehte sich auf dem Bett um und breitete die Arme aus –, ›dabei brauche ich Leidenschaft und Liebe und Abenteuer – und sehne mich danach. Warum soll ich hierbleiben und verkommen? – Ich verkomme hier!‹ weinte sie und tröstete sich am Klang ihrer brechenden Stimme. ›Aber falls ich Casimir das alles erzähle, wenn er heut nachmittag kommt, und falls er dann sagt: ‚Geh!', was er bestimmt tut – das ist auch so eine Seite an ihm, die ich bestimmt hasse, ich hab' ihn an der Kandare –, was soll ich dann tun? *Wohin* soll ich dann gehen?‹ Es gab kein Wohin! ›Ich will nicht arbeiten oder mir selbst einen Weg bahnen! Ich will Behagen und jede Menge Verhätschelung – von Luxus umgeben! Es gibt nur eins, wofür ich geeignet bin, und das ist das Leben einer großen Kurtisane.‹ Aber sie wußte nicht, wie man das anpackte. Sie fürchtete sich, auf die Straße zu gehen – sie hatte von so schrecklichen Erlebnissen gehört, die solchen Frauen zustießen: Männer mit Krankheiten, oder Männer, die nicht bezahlten – außerdem: der Gedanke, jede Nacht mit einem andern Mann –, nein, das kam gar nicht in Frage! ›Wenn ich die nötigen Kleider hätte, würde ich in ein erstklassiges Hotel gehen und mir einen wohlhabenden Mann aussuchen – einen wie den Fremden heute früh. Der wäre ideal! Oh, wenn ich doch seine Adresse hätte! Bestimmt würde

ich ihn betören können. Ich würde ihn den ganzen Tag zum Lachen bringen – und ihn herumkriegen, daß er mir dauernd Geld gibt ...‹ Bei diesem Gedanken wurde ihr warm und wohlig zumute. Sie begann von einem wunderschönen Haus zu träumen, von Schränken voller Kleider und Parfüms. Sie sah sich, wie sie in Kutschen einstieg und dem Fremden dabei einen geheimnisvollen, sinnlichen Blick zuwarf – den Blick studierte sie ein, während sie auf dem Bett lag –, und nie mehr Sorgen, einfach trunken vor Glück! Das war das Leben für sie! Was sie also tun mußte: Casimir weiter seiner vergeblichen Stellensuche nachjagen lassen, und während er weg war ... Was? Außerdem – bitte nicht zu vergessen – war nächsten Vormittag vor zwölf Uhr die Miete zu bezahlen, und sie hatte nicht genug Geld für eine kräftige Mahlzeit. Beim Gedanken an Essen spürte sie einen heftigen Schmerz im Magen – als wäre eine Hand im Magen und quetschte ihn leer. Sie war furchtbar hungrig – an allem war Casimir schuld –, und der Fremde hatte seit dem Tag seiner Geburt in Saus und Braus gelebt! Er sah aus, als könne er ein üppiges Abendessen bestellen. Oh, warum hatte sie es nicht besser angefangen? Er war ihr von der Vorsehung geschickt worden – und sie hatte ihn abblitzen lassen. ›Wenn ich das noch einmal erlebte, wäre ich jetzt auf der sicheren Seite!‹ Und aus dem Durchschnittsmann, der an der Tür mit ihr gesprochen hatte, erschuf ihre Phantasie einen strahlenden, lachenden Helden, der sie wie eine Königin behandeln würde ... ›Nur eins könnte ich nicht ertragen – wenn er unfein oder ordinär wäre. Na, er war's ja nicht, er war offensichtlich ein Mann von Welt, und die Art, wie er sich entschuldigte ... Ich weiß genau, daß ich mich auf meine Ausstrahlung und Schönheit verlassen kann, damit ein Mann mich so behandelt, wie ich behandelt zu werden wünsche ...‹ Und in ihre Träume hinein – schwebte der süße Duft vom Zigarettenrauch. Dabei fiel ihr ein, daß sie nicht gehört hatte, wie jemand die Steinstufen hinuntergegangen war. Konnte es sein, daß der Fremde noch dort war? ... Der Gedanke war zu verrückt ... Solche Possen spielte das Leben nicht – und doch war sie ganz überzeugt

von seiner Nähe. Sehr leise erhob sie sich, holte vom Haken an der Tür einen langen weißen Morgenrock, knöpfte ihn zu – und lächelte listig. Sie wußte nicht, was geschehen würde. Sie dachte nur: ›Oh, was für ein Spaß!‹, und daß sie ein herrliches Spiel spielten, der fremde Mann und sie. Sehr leise drückte sie die Klinke herunter, verzog das Gesicht und biß sich auf die Lippen, weil das Schloß laut aufschnappte. Natürlich, da stand er – lehnte sich gegen das Treppengeländer. Er flog herum, als sie auf den Gang schlüpfte.
»Uff«, murrte sie und wickelte sich fester in den Morgenrock, »muß hinuntergehen und Holz holen. Brrr! Was für eine Kälte!«
»Es ist kein Holz mehr da!« kam es von dem Fremden. Sie stieß einen erstaunten kleinen Schrei aus, und dann warf sie den Kopf in den Nacken.
»Sind Sie noch da?« sagte sie verächtlich, war sich aber gleichzeitig bewußt, wie lustig er dreinblickte und wie frisch und kräftig sein gesunder Körper roch.
»Die Vermieterin hat's ausposaunt, daß kein Holz mehr da sei. Gerade eben habe ich sie gesehen, wie sie wegging, um welches zu kaufen.«
»Lügenmärchen!« hätte sie am liebsten entgegnet. Er trat ganz nah an sie heran, beugte sich über sie und flüsterte: »Wollen Sie mich nicht auffordern, meine Zigarette in Ihrem Zimmer zu Ende zu rauchen?«
Sie nickte: »Sie dürfen – wenn Sie durchaus wollen.«
Während des kurzen Beieinanders auf dem Flur war ein Wunder geschehen: ihr Zimmer war völlig verändert. Es war erfüllt von freundlicher Helle und dem Duft der Hyazinthen. Sogar die Möbel kamen ihr anders vor – aufregend! Blitzschnell flogen ihr kindische Gesellschaftsspiele durch den Kopf, wenn sie Scharaden aufgeführt hatten und die eine Gruppe das Zimmer verlassen hatte und wieder hereingekommen war, um ein Wort darzustellen – genau wie sie es jetzt tat. Der fremde Mann ging zum Ofen hinüber und setzte sich in ihren Sessel. Sie wollte nicht, daß er sprach oder in ihre Nähe kam – es genügte ihr, ihn so selbstbewußt und zufrieden in ihrem Zimmer zu sehen. Wie sehr

hatte sie nach der Nähe eines solchen Menschen gehungert – der überhaupt nichts von ihr wußte und nichts verlangte – bloß vorhanden war.
Viola lief zum Tisch und legte die Arme um das Glas mit den Hyazinthen.
»Herrlich! Herrlich!« rief sie, steckte den Kopf zwischen die Blüten und atmete gierig den Duft ein. Über die Blätter hinweg blickte sie den Mann an und lachte.
»Sie sind ein putziges kleines Ding«, sagte er träge.
»Warum? Weil ich Blumen liebe?«
»Mir wäre es lieber, wenn Sie andere Dinge liebten«, antwortete der fremde Mann langsam. Sie brach ein kleines rosa Blütenblatt ab und lächelte es an.
»Erlauben Sie, daß ich Ihnen Blumen schicke«, sagte der fremde Mann. »Ich schicke Ihnen ein ganzes Zimmer voll, wenn Sie Blumen haben wollen!«
Seine Stimme erschreckte sie ein wenig.
»O nein, danke – diese hier genügen mir – reichlich!«
»Ist ja gar nicht wahr«, sagte er mit hänselnder Stimme.
›Was für eine dumme Bemerkung‹, dachte Viola, und als sie ihn wieder ansah, erschien er ihr nicht mehr so nett. Es fiel ihr auf, daß seine Augen nahe zusammenstanden – und klein waren sie auch. Gräßlicher Gedanke, daß er sich als Dummkopf erweisen sollte.
»Was tun Sie den ganzen Tag?« fragte sie hastig.
»Nichts.«
»Überhaupt nichts?«
»Warum sollte ich etwas tun?«
»Oh, denken Sie keinen Augenblick, daß ich eine solche Weisheit verurteile – nur klingt es zu gut, um wahr zu sein.«
»Wie war das?« Er reckte den Hals. »Was klingt zu gut, um wahr zu sein?« Ja – es ließ sich nicht leugnen: er war dumm.
»Vermutlich nimmt die Suche nach dem Fräulein Schäfer nicht Ihre ganze Zeit in Anspruch?«
»O nein!« Er lächelte über das ganze Gesicht. »Das ist glänzend! Meine Güte, nein! Ich fahre sehr viel aus – haben Sie etwas für Pferde übrig?«
Sie nickte.

»Ich liebe Pferde!«
»Dann müssen Sie mit mir ausfahren. Ich habe zwei prächtige Grauschimmel. Wollen Sie?«
Sie dachte: ›Wie komisch würde ich aussehen, wenn ich mit meinem einzigen Hut hinter den beiden Grauschimmeln thronte!‹ Laut sagte sie: »Furchtbar gern!« Ihre rasche Zusage gefiel ihm.
»Wie wär's mit morgen?« schlug er vor. »Sie könnten mit mir zu Mittag essen, und dann fahre ich Sie aus.«
Schließlich – war es ja bloß ein Scherz. »Ja, morgen habe ich nichts vor«, antwortete sie.
Eine kleine Pause entstand, dann klopfte der fremde Mann auf sein Knie. »Warum kommen Sie nicht her und setzen sich?« sagte er.
Sie tat so, als sähe sie seine Geste nicht, und schwang sich auf den Tisch. »Oh, hier sitze ich ganz gut!«
»Nein, stimmt gar nicht!« Wieder der hänselnde Ton. »Kommen Sie her und setzen Sie sich auf meine Knie!«
»O nein!« rief Viola ganz energisch und beschäftigte sich plötzlich sehr eingehend mit ihren Haaren.
»Warum nicht?«
»Ich möchte nicht!«
»Ach was, kommen Sie her!« Ungeduldig.
Sie schüttelte heftig den Kopf. »Nicht im Traume würde ich so was tun!«
Daraufhin erhob er sich und trat auf sie zu. »Putziges kleines Kätzchen!« Er hob die Hand auf, um ihr Haar zu berühren.
»Lassen Sie das!« sagte sie und glitt vom Tisch. »Ich finde, es wird Zeit, daß Sie gehen!« Sie war jetzt ganz erschrocken und dachte nur: ›Den Mann muß ich so schnell wie möglich loswerden!‹
»Oh, Sie wollen doch nicht, daß ich gehe?«
»Allerdings – ich habe viel zu tun!«
»Zu tun? Was tut das Pussykätzchen den ganzen Tag?«
»Eine Unmenge!« Sie wollte ihn aus dem Zimmer stoßen und die Tür hinter ihm zuschmettern – Blödmann – Dummkopf – grausame Enttäuschung!

»Warum zieht sie die Brauen zusammen?« fragte er. »Hat sie Sorgen?« Plötzlich wurde er ernst: »Oh, sagen Sie mal; stecken Sie finanziell in Schwierigkeiten? Brauchen Sie Geld? Ich kann's Ihnen geben, wenn Sie mögen!«
›Geld! Zieh die Bremse an! Verlier nicht den Kopf!‹ ermahnte sie sich.
»Ich gebe Ihnen zweihundert Mark, wenn Sie mich küssen!«
»O pfui! Was für eine Bedingung! Übrigens will ich Sie nicht küssen – Küssen mag ich nicht! Bitte gehen Sie!«
»Doch, Sie mögen es! Sie mögen es!« Er packte ihre Arme über dem Ellbogen. Sie wehrte sich und war verblüfft, als sie merkte, wie wütend sie war.
»Lassen Sie mich los – sofort!« rief sie, und er schlang einen Arm um ihren Körper und zog sie an sich. Sein Arm lag wie eine eiserne Stange auf ihrem Rücken.
»Lassen Sie mich in Ruhe, sage ich Ihnen! Seien Sie nicht so gemein! Was unterstehen Sie sich! Ich wollte nichts dergleichen, als Sie in mein Zimmer kamen!«
»Dann küssen Sie mich, und ich gehe!«
Es war zu blöde – dem dummen, grinsenden Gesicht auszuweichen.
»Ich küsse Sie nicht! – Sie Ekel! – Ich will's nicht!« Irgendwie konnte sie sich aus der Umklammerung frei machen und rannte zur Wand, stand keuchend mit dem Rücken zur Wand.
»Gehen Sie!« stammelte sie. »Gehen Sie sofort – raus!«
Im Moment, da er sie nicht berührte, hatte sie sogar Spaß daran. Sie freute sich über ihre eigene zornige Stimme. »Daß ich mit so einem Mann überhaupt spreche!« Eine zornige Röte stieg ihm ins Gesicht; er zog die Lippen hoch und ließ die Zähne sehen – genau wie ein Hund, dachte Viola. Er stürzte auf sie zu und drückte sie gegen die Wand, nagelte sie mit seinem ganzen Körpergewicht fest. Diesmal konnte sie sich nicht befreien.
»Ich küsse Sie nicht! Ich will's nicht! Lassen Sie das! Puh – Sie sind wie ein Hund – Sie sollten sich ihre Liebchen am Laternenpfahl suchen – Sie Biest – Sie Teufel!«
Er antwortete nicht. Mit einer Miene, die lächerlich entschlossen war, drückte er immer wuchtiger gegen sie. Er sah sie

nicht einmal an, aber mit böser Stimme stieß er aus: »Sei still! Sei still!«

»Och, warum sind die Männer nur so stark!« Sie fing an zu weinen. »Scheren Sie sich weg – ich will Sie nicht, Sie schmutziger Mensch! Ich bringe Sie um! O mein Gott, wenn ich bloß ein Messer hätte!«

»Sei nicht albern! Komm und sei lieb!« Er zog sie zum Bett.

»Glauben Sie, ich wäre ein Flittchen?« fauchte sie, bückte sich und vergrub ihre Zähne in seinem Handschuh.

»Oh! Laß das! Du tust mir weh!«

Sie ließ nicht los und dachte: ›Gott sei Dank, daß mir das eingefallen ist!‹

»Laß das – sofort – du Luder – du Aas!« Er schleuderte sie von sich. Sie sah mit Genugtuung, daß ihm Tränen in den Augen standen. »Du hast mir richtig weh getan!« sagte er mit erstickter Stimme.

»Sicher! Ich wollte es ja! Das ist nichts im Vergleich zu dem, was ich Ihnen antue, wenn Sie mich noch mal berühren!«

Der fremde Mann nahm seinen Hut. »Nein, danke!« sagte er grimmig. »Aber ich werd's dir nicht vergessen – ich geh' zu deiner Vermieterin!«

»Pah!« Sie zuckte die Achsel und lachte. »Ich sage ihr, daß Sie sich mit Gewalt hier eingedrängt haben, um mich zu vergewaltigen. Wem glaubt sie dann? Ihnen und dem Biß an Ihrer Hand? Gehen Sie weg und suchen Sie Ihre Schäfers!«

Ein herrliches, berauschendes Glücksgefühl überflutete sie. Sie funkelte ihn an. »Wenn Sie nicht sofort gehen, beiße ich Sie noch mal!« sagte sie und mußte selbst über ihre lächerlichen Worte lachen. Sogar nachdem sich die Tür hinter ihm geschlossen hatte und sie ihn treppab gehen hörte, lachte sie noch und tanzte im Zimmer herum.

Was für ein Morgen! Oh, ein Punkt für sie! Es war ihr erster Kampf, und sie hatte gesiegt, hatte das Ekel besiegt – sie ganz allein. Ihre Hände zitterten noch. Sie streifte die Ärmel ihres Morgenrocks hoch: große rote Flecken auf den Armen! ›Und meine Rippen erst – ich werde am ganzen Leib blaue Flecken haben‹, dachte sie. ›Wenn nur der geliebte Casimir uns hätte sehen können!‹ Was sie an Wut und Widerwillen gegen Casimir empfunden hatte, war gänzlich verschwunden. Was konnte der arme Schatz dafür, daß er kein Geld hatte? Es war ebensosehr ihre wie seine Schuld, und er stand ebenso wie sie außerhalb der Welt und kämpfte dagegen an, wie sie es getan hatte. Wenn es nur erst drei Uhr wäre! In Gedanken sah sie, wie sie auf ihn zulief und ihm die Arme um den Hals warf. ›Mein Engel! Natürlich werden wir siegen! Liebst du mich noch? Oh, ich bin in der letzten Zeit unausstehlich gewesen!‹

»Max, du alberner Kerl, du wirst dir das Genick brechen, wenn du so die Schlittenbahn heruntersaust! Gib's auf und komm mit mir ins Klubhaus, einen Kaffee trinken!«
»Für heute hab' ich genug gehabt. Ich bin durch und durch naß. Komm, Victor, gib mir eine Zigarette, alter Junge! Wann gehst du nach Hause?«
»Nicht vor einer Stunde! Es ist schön heute nachmittag, und ich komme gerade richtig in Form. Achtung! Geh aus der Bahn! Da kommt Fräulein Winkel! Verflixt elegant springt sie mit ihrem Schlitten um!«
»Ich bin durch und durch verfroren. Das ist das Schlimme hier – der Nebel – es ist eine feuchte Kälte! Hör mal, Forman, kümmere dich um den Schlitten und stell ihn irgendwo ab, wo ich ihn morgen früh finden kann, ohne hundertfünfzig andre durchzusuchen!«
Sie setzten sich an einen kleinen runden Tisch neben dem Ofen und bestellten Kaffee. Victor streckte die Beine lang aus, tätschelte seinen kleinen Hund Bobo und blickte Max halb lächelnd an.
»Was ist denn los, mein Lieber! Ist die Welt nicht gut und schön?«
»Ich möchte meinen Kaffee haben, und ich möchte meine Füße in meine Taschen stecken – sie sind wie Eisklumpen ... Nichts zu essen, danke! Der Kuchen hier schmeckt wie nicht durchgebratener Radiergummi.«
Fuchs und Wistuba kamen und setzten sich zu ihnen an den Tisch. Max hatte ihnen halb den Rücken zugedreht und hielt die Füße an den Ofen. Die drei andern Männer begannen gleichzeitig zu sprechen – über das Wetter – über den Schlittenrekord – über den guten Zustand des Waldsees fürs Eislaufen. Plötzlich warf Fuchs einen Blick auf Max, zog die Brauen hoch und nickte Victor zu, der aber den Kopf schüttelte.
»Dem Baby geht's nicht gut«, sagte er und fütterte seinen Hund mit durchgebrochenen Zuckerstückchen, »und niemand darf ihn stören – ich bin sein Krankenwärter!«

»Es ist das erstemal, daß ich ihn nicht auf der Höhe sehe«, sagte Wistuba. »Ich hatte immer geglaubt, er hätte sich das beste Stück vom Kuchen abgeschnitten, und das hätte ihm niemand wegnehmen können. Ich glaube, er betet jetzt zum lieben Gott, weil er ihn davor beschützt hat, heute abend in sieben Körben nach Hause getragen zu werden. Es ist ein dummer Spaß, sein Leben so aufs Spiel zu setzen und das ganze Land untröstlich zu machen!«
»Halt die Klappe!« sagte Max. »Du solltest dich im Kinderwagen auf dem Schnee herumkarren lassen!«
»Oh, du bist hoffentlich nicht beleidigt? Mußt nicht gleich ausfallend werden ... Wie geht's deiner Frau, Victor?«
»Ihr geht's gar nicht gut. Sie hat sich den Kopf verletzt, als sie am Sonntag mit Max die Schlittenbahn runterfuhr. Ich habe ihr empfohlen, den ganzen Tag zu Hause zu bleiben.«
»Tut mir leid! Und ihr andern? Geht ihr in die Stadt zurück oder bleibt ihr noch hier?«
Fuchs und Victor sagten, daß sie blieben. Max gab keine Antwort, sondern saß da, ohne sich zu rühren, während die Männer ihren Kaffee bezahlten und gingen. Victor kam kurz zurück und legte Max die Hand auf die Schulter.
»Wenn du gleich heimgehst, mein Lieber, wünschte ich, du könntest mal nach Elsa sehen und ihr sagen, ich käme erst spät zurück. Und iß heute abend mit uns bei Limpold, ja? Und mach dir zu Hause einen heißen Grog!«
»Danke, alter Junge, ist schon gut! Ich gehe jetzt.«
Max stand auf, reckte sich, knöpfte seinen schweren Rock zu und zündete sich noch eine Zigarette an.
Victor sah ihm von der Türe aus nach, wie er mit geducktem Kopf durch den dicken Schnee pflügte und die Hände in den Taschen vergraben hatte: es schien fast, als ob er durch den Schnee nach Hause *rannte*.

Jemand kam die Treppe heraufgestampft, blieb an der Tür ihres Wohnzimmers stehen und klopfte an.
»Bist du's, Victor?« rief sie.
»Nein, ich bin's ... kann ich reinkommen?«
»Natürlich. Oh, was für ein Weihnachtsmann! Häng dei-

nen Rock auf den Vorplatz und schüttle dich über dem Geländer aus! War's schön?«

Das Zimmer war voller Licht und Wärme. In einem Teekleid aus weißem Samt lag Elsa hingekuschelt auf dem Sofa – eine Modezeitung im Schoß, eine Schachtel Sahnebonbons neben sich.

Die Vorhänge waren noch nicht vor die Fenster gezogen; ein blaues Licht fiel herein, und die weißen Zweige der Bäume zitterten drüber hin.

Ein Damenzimmer – voller Blumen und Photographien und seidener Kissen – der Fußboden dick mit Teppichen belegt – ein riesiges Tigerfell unter dem Flügel – nur der Kopf schaute hervor – schläfrig grausam.

»Es war ganz nett«, sagte Max. »Victor wird erst spät zurück sein. Er hat mich gebeten, hinaufzugehen und es dir zu sagen.«

Er begann auf und ab zu gehen – zog seine Handschuhe aus und schleuderte sie auf den Tisch.

»Tu das nicht, Max!« sagte Elsa. »Du fällst mir auf die Nerven! Und ich habe heute Kopfweh, ich habe Fieber und bin erhitzt. Sehe ich nicht erhitzt aus?«

Er blieb am Fenster stehen und warf einen kurzen Blick über die Schulter auf sie zurück.

»Nein«, sagte er. »Es ist mir nicht aufgefallen.«

»Oh, du hast mich nicht richtig angeschaut, und ich habe auch ein neues Teekleid!« Sie zog das faltige Gewand an sich und klopfte auf das Sofa.

»Komm her und setz dich zu mir und erzähle mir, weshalb du unartig bist!«

Aber er blieb am Fenster stehen und warf plötzlich den Arm über die Augen.

»Oh, ich kann's nicht«, sagte er. »Ich bin fertig – ich bin erledigt – ich bin vernichtet.«

Im Zimmer herrschte Stille. Die Modezeitung fiel mit leisem Blättergeraschel zu Boden. Elsa setzte sich auf; die Hände hatte sie im Schoß gefaltet. Ein merkwürdiges Licht glomm in ihren Augen, und ihre Lippen brannten rot.

Dann sprach sie sehr ruhig.

»Komm her und erkläre es mir! Ich verstehe kein Wort von dem, was du sagst!«

»Doch, du verstehst es – du verstehst es viel besser als ich. Du hast einfach in meiner Gegenwart mit Victor herumgetändelt, um mich unglücklich zu machen. Du hast mich gequält – du hältst mich zum besten – bietest mir alles an und gibst gar nichts. Es ist von Anfang bis zu Ende die Sache mit der Spinne und ihrem Netz gewesen – nicht einen Augenblick habe ich das bezweifelt, und nicht einen Augenblick habe ich widerstehen können.«

Er drehte sich entschlossen zu ihr um.

»Als du mich gebeten hattest, dir Blumen an dein Abendkleid zu stecken – als du mich in Victors Abwesenheit in dein Schlafzimmer kommen ließest, während du dir deine Haare gebürstet hast – als du vorgabst, ein Baby zu sein und dich von mir mit Weintrauben füttern ließest – als du zu mir gelaufen kamst und in all meinen Taschen nach Zigaretten gesucht hast und dabei genau wußtest, wo sie waren, aber trotzdem jede Tasche durchsuchtest, und ich wußte es auch und machte bei dem Theater mit – hast du da angenommen, daß du jetzt, wo du schließlich dein Freudenfeuer entzündet hast, es als etwas Friedliches und Freundliches vorfinden würdest und verhindern könntest, daß das ganze Haus in Flammen steht?« Sie wurde plötzlich kreidebleich und zog heftig den Atem ein.

»Sprich nicht so mit mir! Du hast kein Recht, so mit mir zu sprechen. Ich bin die Frau eines anderen Mannes!«

»Ha«, lachte er höhnisch und warf den Kopf in den Nakken, »das ist ein bißchen spät am Tage, und doch ist es die ganze Zeit deine Trumpfkarte gewesen. Du liebst Victor nur wie die Katze die Sahne; du, das arme, ausgehungerte Kätzchen, dem er alles gegeben hat, das er an seiner Brust gewärmt hat, ohne zu ahnen, daß die kleinen rosa Krällchen einem Mann das Herz aus der Brust reißen können.«

Sie schreckte zusammen und betrachtete ihn fast mit Furcht in den Augen.

»Schließlich«, stammelte sie unsicher, »ist das hier mein Zimmer; ich muß dich bitten, jetzt zu gehen.«

Doch er schwankte auf sie zu, kniete neben dem Sofa nieder, vergrub seinen Kopf in ihrem Schoß und umklammerte sie mit den Armen.
»Und ich *liebe* dich — ich liebe dich; wie demütigend — ich bete dich an! Nicht — nicht — laß mich eine einzige Minute so bleiben — nur eine einzige Minute eines ganzen Lebens! Elsa! Elsa!«
Sie lehnte sich zurück und drückte ihren Kopf in die Kissen. Dann seine erstickte Stimme: »Ich komme mir wie ein Wilder vor! Ich begehre deinen ganzen Körper. Ich möchte dich in eine Höhle schleppen und dich lieben, bis ich dich töte — du kannst nicht begreifen, was ein Mann empfindet. Ich töte mich selbst, wenn ich dich sehe — mir ist meine Kraft verhaßt, die sich gegen mich selbst wendet und stirbt und sich wie ein Phönix neugeboren aus der Asche dieses grauenhaften Todes erhebt. Liebe mich nur dieses eine Mal, lüge mir etwas vor, *sage*, daß du mich liebst — du lügst ja immer.«
Statt dessen schob sie ihn — erschrocken — von sich.
»Steh auf!« sagte sie. »Denk, wenn das Mädchen mit dem Tee käme!«
»O mein Gott!« Er erhob sich taumelnd und stand da und starrte auf sie herab.
»Du bist bis ins Mark verdorben, und ich auch. Aber du bist verteufelt schön!« Die Frau ging zum Flügel—blieb dort stehen — schlug eine Taste an—und zog die Brauen zusammen. Dann zuckte sie die Achseln und lächelte.
»Ich werde dir etwas gestehen. Jedes Wort, das du gesagt hast, entspricht der Wahrheit. Ich kann nichts dafür. Ich kann es ebensowenig verhindern, daß ich nach Bewunderung lechze, wie eine Katze es verhindern kann, daß sie zu den Menschen geht, um gestreichelt zu werden. Das ist meine Natur. Ich bin außerhalb meiner Zeit geboren. Und doch bin ich bestimmt keine *ordinäre* Frau. Ich liebe es, wenn Männer mich verehren — mir schmeicheln — sogar mich lieben—, aber nie würde ich mich einem Mann hingeben. Nicht einmal küssen ließe ich mich von einem Mann — niemals.«
»Es ist weitaus schlimmer — dir bleibt keine einwandfreie Entschuldigung. Sogar eine Dirne besitzt mehr Edelmut!«

»Ich weiß es«, sagte sie, »ich weiß es sehr wohl – aber ich kann es nicht ändern, daß ich so veranlagt bin... Gehst du?«
Er zog seine Handschuhe an.
»Und was«, sagte er, »was wird jetzt aus uns werden?«
Wieder zuckte sie die Achseln.
»Ich habe nicht die leiseste Ahnung, nie – ich lasse die Dinge einfach ihren Lauf nehmen.«
»Ganz allein?« rief Victor. »Ist Max hiergewesen?«
»Er blieb nur einen Augenblick, nicht einmal Tee wollte er. Ich habe ihn nach Hause geschickt, damit er sich trockne Sachen anzieht . . . Er war schrecklich langweilig.«
»Du armer Schatz . . . deine Frisur löst sich auf. Ich stecke sie fest, steh einen Moment ganz still . . . du hast dich also gelangweilt?«
»Hm . . . gräßlich . . . Oh, du hast deiner Frau eine Haarnadel direkt in den Kopf gestoßen – du böser Junge!«
Sie schlang ihm den Arm um den Hals und blickte halb lachend zu ihm auf, wie ein schönes, liebevolles Kind.
»Mein Gott, was für eine Frau du bist!« sagte der Mann. »Du machst mich so verteufelt stolz, Liebste, daß ich... daß ich's dir sage!«

fi 206/4

Annette Kolb

Das Exemplar
Roman. Band 2298

Daphne Herbst
Roman. Band 2299

Die Schaukel
Roman. Band 5704

Spitzbögen
Erzählung, Porträt, Tagebuchaufzeichnung
Band 5363

Wera Njedin
Erzählungen und Skizzen
Mit einem Porträt von Hermann Kesten
Band 5734

Mozart
Biographie. Band 5735

Schubert. Sein Leben
Biographie. Band 5736

Zeitbilder 1907–1964
Band 5360

Fischer Taschenbuch Verlag

Marie Luise Kaschnitz

Das Haus der Kindheit
Band 5939

»Die Faszination, welche die Tagebuchform schon stilistisch auf die Autorin ausübte, zeigt sich schon darin, daß sie ihre Kindheit weder in der Form der Erinnerung noch in einer Autobiographie darstellt, sondern durch ein fingiertes Tagebuch einer fingierten Erzählerin (...) in die Gegenwart zieht.«

(Elisabeth Pulver)

Eines Mittags, Mitte Juni
Erzählungen. Band 5815

Dieser Sammelband vereint eine Auswahl aus »Lange Schatten« und einige frühe, bisher wenig bekannte Erzählungen. Poetische Texte, in denen die Realität durchaus ihr Recht behält.

Wohin denn ich
Aufzeichnungen. Band 5814

»Die Einsamkeit und Umweltlosigkeit wird am Einzelfall des Witwenschicksals dargestellt mit einer Kühnheit und Folgerichtigkeit, die ihresgleichen sucht in der von Frauen geschriebenen Literatur.«

(Geno Hartlaub)

Überallnie
Ausgewählte Gedichte 1928–1965
Mit einem Nachwort von Karl Krolow
Band 5720

Die Genauigkeit ihrer Sprache entspricht der Suche nach der »härtesten inneren Wahrheit«, von der Marie Luise Kaschnitz selbst einmal gesprochen hat.

Fischer Taschenbuch Verlag

Marlen Haushofer

Die Mansarde

Roman

Band 5459

Das Mansardenzimmer eines großen Hauses ist Zuflucht und Ort der Imagination für eine Frau, die sich dorthin zurückzieht, um nachzudenken, zu zeichnen und sich zu erinnern.
Die Mansarde ist auch der Ort, an dem die Vergangenheit wieder lebendig wird. Ein unheimlicher Vorgang zwingt die Frau, sich an sich selbst zu erinnern, an eine Zeit, die sie getrennt von ihrer Familie, durch eine vorübergehende Taubheit vollständig isoliert, in den Bergen verbrachte.
Erzählt wird in tagebuchähnlichen Aufzeichnungen die Geschichte einer Woche, von Sonntag zu Sonntag, ausgefüllt mit der routinierten Alltäglichkeit eines Hausfrauendaseins, überschattet von dem lautlosen Drama einer Ehe, in der ein altes Zerwürfnis durch Stillschweigen schon lange tabuisiert wurde.

Fischer Taschenbuch Verlag

fi 596/1